Dechrau Canu, Dechrau Wafflo

Llyfrgelloedd Caerdydd
www.caerdydd.gov.uk/llyfrgelloedd
Cardiff Libraries
www.cardiff.gov.uk/libraries

Yn y llais fe glywir llef – arhosol
        Tregroes, gan i'r pentref
    A'i libart droi yn gartref;
    Yn fan hyn mae'i lwyfan ef.

                    Idris Reynolds

Dechrau Canu, Dechrau Waffio

KEES HUYSMANS

Argraffiad cyntaf: 2017

Diolch i Wasg Gomer am yr hawl i gynnwys
'Y Fedwen' T Llew Jones (*Penillion y Plant*)

Dymuna'r cyhoeddwyr gydnabod cymorth ariannol
Cyngor Llyfrau Cymru

Llun y clawr: Mary Williams
Cynllun y clawr: Y Lolfa

Rhif Llyfr Rhyngwladol: 978 1 78461 411 9

Cyhoeddwyd, rhwymwyd ac argraffwyd yng Nghymru gan
Y Lolfa Cyf., Talybont, Ceredigion SY24 5HE
gwefan www.ylolfa.com
e-bost ylolfa@ylolfa.com
ffôn 01970 832 304
ffacs 832 782

Cynnwys

RHAGAIR

Pleser yw cynnwys gair o gyflwyniad i'r llyfr. Dwi ddim gant y cant yn siŵr pam y ces fy mherswadio i adrodd fy stori a chaniatáu iddi gael ei chyhoeddi. Serch hynny, dwi wedi mwynhau'r broses o adrodd yr hanes yn Llannerch, bob prynhawn dydd Mawrth wrth ffrind a chymydog Eleri (Wesyn). Dwi'n hynod ddiolchgar iddi hi a Martin Griffiths am eu cymorth gyda'r fersiwn ysgrifenedig, gan nad yw fy iaith Gymraeg ysgrifenedig yn ddigon safonol ar gyfer y dasg.

Mewn ffordd, mae'r llyfr hwn wedi rhoi cyfle i mi roi rhywbeth yn ôl i'r gymdeithas a phentre Tregroes lle'r wyf wedi byw am dros ddeng mlynedd ar hugain. Bydd unrhyw elw o'r llyfr yn mynd yn syth tuag at y gost o adnewyddu'r hen ysgol i fod yn ganolfan i'r pentre a'r ardal gyfagos.

Rhaid i mi eich rhybuddio mai stori yw hi, nid y gwir, yr holl wir a dim ond y gwir, yn union fel y mae'r olygfa o bentre Tregroes yn edrych yn wahanol iawn o gegin fferm Rhiwlug i'r darlun a gewch chi o gefn Y Siop neu o glos yr ysgol yr ochr draw i'r cwm.

Dwi'n ddiolchgar iawn i aelodau o fy nheulu, Elonwy, Fflur a Kyna, am eu hamynedd a'u cynghorion gwerthfawr. Mae'r llyfr hwn hefyd yn deyrnged i Ans, fy ngwraig gynta, gan obeithio bod ei seren fach yn gwenu arnom uwchben.

Hoffwn gydnabod fy ngwerthfawrogiad o waith Dylan Iorwerth ac Elaine, Emyr ac Eiris Llywelyn yn darllen y proflenni ac am eu hawgrymiadau gwerthfawr.

Mae fy niolch yn ogystal i'm cymdogion, ffrindiau, criw y waffls a phawb sydd wedi ein cefnogi ni ar hyd y blynyddoedd. Heb eu cyfraniad nhw fyddai ddim stori wrth gwrs.

Yn olaf, dwi'n ddyledus i Mary Williams am dynnu nifer o luniau pwrpasol, i Cefin Miller am lunio'r map i ddangos y cerrig milltir ar y daith wrth groesi'r cyfandir, ac i griw'r Lolfa am eu croeso, eu hamynedd a'u proffesiynoldeb wrth gyhoeddi'r llyfr.

Mwynhewch.

Kees

1
CROESI'R CYFANDIR

WELKOM/CROESO i chi rannu profiadau gyda fi, Kees Huysmans, gŵr o'r Iseldiroedd sydd wedi byw yng Nghymru ers dros dri deg pump o flynyddoedd.

Sut wlad yw'r Iseldiroedd? Fflat fel pancwsen, a'r wifren bigog wedi disodli'r cloddiau gwyrddion am fod ei thrigolion yn gwneud defnydd o bob blewyn o borfa o'u cwmpas.

Gwlad fwy neu lai yr un maint â Chymru yw hi, ond bod dwy filiwn ar bymtheg o bobol yn byw yno erbyn heddiw, o gymharu â thair miliwn o bobol yng Nghymru. Er nad own i wedi clywed sôn am Gymru na'r iaith Gymraeg cyn cyrraedd, erbyn hyn mae siarad Cymraeg yn dod yn eitha naturiol ac yn iaith rwy'n ei ddefnyddio bob dydd.

Ond mae'r wlad yn llawer mwy na'r iaith. Yr un mor bwysig yw'r diwylliant, y ffordd o fyw, y traddodiadau a'r arferion sy'n rhan mor annatod ohoni. Y cwestiwn sy'n cael ei ofyn i fi yn aml yw: "Ai Cymro neu Iseldirwr wyt ti bellach?" A'r ateb: "Gwranda, os wyt ti wedi cael dy eni'n ddafad, fedri di ddim bod yn fuwch."

Kees Huysmans? Wel, beth sydd mewn enw? Tipyn o broblem a llawer o drafferth yn fy achos i.

I ddechrau, fy nghyfenw. Nid Huysmans yw'r ffordd iawn o'i sillafu ond Huijsmans yn ôl yr wyddor Iseldireg. Ar fy nhystysgrif geni, fy enw llawn yw Cornelius Josephus Maria Huijsmans, a thalfyriad yw Kees wrth gwrs. Fel tasai hynny ddim yn ddigon o gawdel, pan wnes i gais am drwydded yrru, fe gamddeallodd pobol y DVLA y gair Kees am Rees. Felly, dyna'r ail fersiwn – Rees Huysmans. Ffwdanes i ddim ei gywiro ar y pryd. Ar fy ngherdyn banc rwy'n cael fy adnabod fel Kees Huysmans, ond ar fy mhasbort mae'r enw llawn Cornelius Josephus Maria Huijsmans. Dychmygwch geisio egluro wrth yr awdurdodau yn Ffrainc pan es i ar wyliau i Baris, a hynny yn y cyfnod ar ôl un o'r ymosodiadau gan derfysgwyr, gyda'r heddlu yn chwilio am unrhyw anghysondeb mewn dogfennau personol.

Odi, mae'n bwysig bod pob dyn yn ymwybodol o'i wreiddiau. Fe ges i fy ngeni yn yr Iseldiroedd, fymryn yn rhy gynnar, naw diwrnod cyn bod fy rhieni wedi bod yn briod am naw mis. Mab fferm oedd fy nhad, a mam yn ferch o'r dref. Yn chwech oed, roedd gen i ddwy chwaer ond wnes i ddisgwyl yn eiddgar iawn am enedigaeth fy mrawd bach, a hynny er mwyn cael cwmni i gicio pêl ac i wneud pob math o ddrygioni. Ond y fath siom! Doedd Bas, y bwndel bach, ddim yn gallu gwneud yr un o'r pethau hyn.

Pan own i'n dair oed fe wnaethon ni symud fel teulu o Steenbergen i Eindhoven. Rwy'n dal i gofio'r wefr o deithio yn y car bach Volkswagen a'i deimlo'n hedfan heibio i'r lori ddodrefn a'i gadael fel pe bai'n sefyll. Dyna'r wers gynta a ddysges i mewn bywyd. Os y'ch chi am lwyddo i gyrraedd unrhyw nod, rhaid gwneud ymdrech a gwasgu'r droed ar y sbardun. Y rheswm y symudon ni i Eindhoven oedd bod fy nhad wedi dechrau gweithio fel rheolwr i gwmni sment.

Roedd hwn yn gam mawr yn ei yrfa, ac yn ystod y cyfnod fe ddatblygodd syniad cyffrous o ran y busnes. Fe ddechreuodd sychu tywod a'i gymysgu gyda sment yn lle gwerthu cwdyn o dywod a sment ar wahân. Roedd y broses yn werthfawr iawn i gwmnïau bach gan y bydden nhw'n medru prynu cwdyn llai o faint, ond, o'r herwydd, am lawer mwy o arian i'r cwmni. Rwy'n cofio ein bod ni fel plant yn cael y gwaith o roi'r labeli ar bob cwdyn. Cafodd fy nhad gymeradwyaeth genedlaethol am ei gyfraniad arloesol i'r diwydiant adeiladu ar y pryd. Yr unig beth oedd yn edifar ganddo oedd ei fod heb sefydlu ei fusnes ei hunan.

Fe ddechreues i yn yr ysgol gynradd yn Eindhoven, ysgol i fechgyn, gydag ysgol i'r merched ar wahân. Cerdded i'r ysgol rown i'n ei wneud gyda ffrind ac roedd fy mam yn ein helpu i groesi'r hewl. Aeth fy chwiorydd i'r ysgol i ferched. Rown i braidd yn swil ar y dechrau. Tynnu'n groes oedd fy hanes yn yr ysgol. Roedd yr athrawes yn poeni am nad own i'n dangos llawer o awydd i gymryd rhan yn chwaraeon y bechgyn a doedd dim hawl gyda fi sgrifennu gyda fy llaw chwith er mai hynny oedd yn naturiol i mi. Hyd yn oed heddiw rwy'n dal i ddefnyddio fy llaw chwith i dorri bara ac i chwarae neu daflu pêl. Ond yn gyffredinol rown i'n mwynhau mynd i'r ysgol.

Rown i'n canu yng nghôr yr eglwys gatholig fel soprano a hefyd yn was allor yno. Roedd gan bob offeiriad ddyletswydd i gynnal yr offeren bob dydd ac rown i ar y rota, hynny yw, yn helpu yn y gwasanaeth cyn mynd i'r ysgol am wythnos gyfan. Unwaith, rwy'n cofio ystlyswr yr eglwys yn ffonio fy mam i ofyn a allwn i fynd draw am fod rhyw genhadwr wedi cyrraedd a bod angen canu'r offeren ar fyr rybudd. Ganol gaeaf oedd hi, y peth cynta yn y bore bach, heb neb yn yr eglwys ond yr offeiriad a finne. Rown i'n canu'r offeren yn Lladin. Gyda'r golau cryf dros yr allor a'r tywyllwch yn yr eglwys, roedd yn deimlad ysbrydol iawn.

Doedd dim ysgol o gwbwl ar brynhawn Mercher, ond roedd rhaid mynd i'r ysgol ar fore Sadwrn. Rhaid bod seiclo yn fy ngwaed o oed cynnar. Heb ddweud gair wrth fy rhieni na neb, yn un ar ddeg oed, fe es i ar gefn beic un diwrnod o Eindhoven yr holl ffordd i Sterksel, y pentre lle'r oedd fy nhad yn adeiladu byngalo. Symud fu ein hanes unwaith 'to i bentre bach Sterksel, ac mae fy mrawd a'i deulu yn dal i fyw yno, ar ôl i ni golli ein rhieni. Doedd dim bws ysgol ar gael, felly yn ystod y blynyddoedd canlynol roedd yn rhaid i mi seiclo ddeg milltir yn y bore i gyrraedd yr ysgol, a'r un daith yn ôl unwaith eto yn y nos – ffordd effeithiol iawn o gadw'n heini mewn gwlad sydd â'i thir yn hollol wastad.

Roedd y system addysg yn gwbwl wahanol yn yr Iseldiroedd gan fod y plant yn cael eu rhannu yn syth ar ôl yr ysgol gynradd, rhai i ddilyn cyrsiau academig ac eraill i ddilyn cyrsiau mwy ymarferol. Roedd rhaid dysgu tair iaith dramor – Saesneg, Almaeneg a Ffrangeg – gyda'r posibilrwydd o ddysgu Sbaeneg ac iaith Tsieina hefyd. Down i ddim yn hoff o ddysgu ieithoedd gan ei fod yn dibynnu gymaint ar y cof. I mi roedd hyn yn ymdrech fawr ac roedd yn llawer gwell gyda fi astudio pynciau fel Ffiseg a Chemeg. Tra byddai'r grŵp academig yn cael eu paratoi ar gyfer prifysgol fe fyddai'r plant llai academig yn dewis Ysgol Dechnegol, gyda'r merched yn cael cyfle i ddysgu sut i gadw tŷ.

Roedd fy nhad-cu yn byw ar ffarm oedd yn cynnwys rhyw gan erw. O'r cyfnod pan own i'n bedair oed, ac am y ddeng mlynedd nesa, fe fyddwn yn treulio pob gwyliau ar y ffarm. Gan mai yn ne'r wlad roedd e'n byw, roedd y ffarm yn cael ei rhannu rhwng y meibion. Dyna'r drefn yn y rhan Gatholig o'r wlad, tra oedd y gogledd yn fwy llewyrchus. Y mab hynaf fyddai'n etifeddu'r ffarm yn y rhan honno, yr un fath â'r hen drefn yng Nghymru. Yn yr ardal Brotestannaidd yn y gogledd, roedd y ffermydd yn llawer mwy, ac o ganlyniad, yn fwy cyfoethog.

Yn y ffermydd bach yn y de, fel yr un oedd gan fy nhad-cu, roedd y dull o ffermio yn fwy dwys, yn cynnwys tipyn o bopeth, o wartheg godro i dyfu barlys, a buchod coch eu lliw yn cael eu defnyddio i bwrpas cynhyrchu cig a llaeth. Doedd dim tanciau llaeth ar gael felly roedd y llaeth yn cael ei gasglu mewn tsiyrn ar gyfer gwneud caws. Fe fyddai'n dychwelyd yn llawn maidd a fyddai'n cael ei arllwys i gafn y moch. I mi, dyna oedd y ffordd ddelfrydol o fyw. Doedd dim byd yn cael ei wastraffu, a'r bobol yn byw mewn harmoni gyda'r tir a gyda'i gilydd.

Un o uchafbwyntiau'r flwyddyn i mi pan own yn blentyn oedd y cyfnod rown i'n ei dreulio yn nhŷ fy anti. Roedd y bwyty, cartre fy anti, yn rhan o Amgueddfa Ryfel oedd ar agor yn ystod yr haf ac ar gau yn ystod y gaeaf. Roedd yno gegin fawr, a bob hydref fe fyddai'r teulu i gyd yn dod at ei gilydd i gael gwledd. Fe fydden nhw'n lladd moch a bustych, a'r hyn oedd yn braf oedd bod y teulu i gyd yn cydweithio, y plant yn glanhau'r perfedd a phob un yn gwneud ei ran. Roedd pob darn o gorff yr anifail yn cael ei ddefnyddio, hyd yn oed y gwaed ar gyfer y pwdin gwaed. Er bod y gwaith yn galed, roedd digon o hwyl ac fe wnaeth yr awyrgylch a'r cydweithio argraff fawr arna i. Fe fyddai'r gwaith yn gwneud yn siŵr bod digon o gig a bwyd yn y rhewgell i'r teulu am flwyddyn. Profiadau fel hyn sydd wedi creu'r sylfaen gadarn i'r ffordd mae fy mywyd wedi ei ffurfio.

Roedd fy nhad yn awyddus i mi ddilyn cwrs academig mewn prifysgol er mwyn i mi baratoi ar gyfer bod yn filfeddyg, neu'n wyddonydd amaethyddol efallai. Ond rown i'n benderfynol mai ffermio rown i am ei wneud, ac i'r Coleg Amaethyddol yr es i yn y diwedd. Pan ddechreues i yno, doedd dim neuadd breswyl, dim ond llety rhyw bum munud o'r coleg. Fedrwn i ddim byw heb yr ymarfer seiclo cyson oedd yn rhan o 'mywyd. Ar ôl chwe mis, fe symudais rhyw chwech neu wyth milltir tu fas i'r coleg fel bod 'da fi gyfle i seiclo unwaith 'to. I mi, roedd yn ffordd o fyw, ffordd bwysig iawn, fel i'r rhan fwyaf o bobol yn yr Iseldiroedd.

Wrth seiclo, down i ddim am ddefnyddio cotiau glaw plastig a oedd yn gwneud i chi chwysu cymaint nes eich bod yn fwy gwlyb yn y pen draw. Fe benderfynes i ddefnyddio gwlân, gwlân y ddafad heb ei olchi, er mwyn cadw'r lanolin ynddo. Yn y lle cynta, roedd rhaid i mi nyddu'r gwlân ac yna ddysgu gwau, er mwyn gwau cot. Roedd yn gweithio'n grêt, yn gadael i chi anadlu drwyddi, yn eich cadw'n sych heb i chi chwysu tu fewn. Cymaint gwell. Yr unig anhawster oedd nad oedd y myfyrwyr eraill am hongian eu cotiau ar bwys fy nghot i am ei bod hi'n drewi!

Ymhen blynyddoedd, pan ddes i draw i Gymru, roedd bois fferm Rhiwlug yn Nhregroes yn gwneud rhywbeth tebyg, yn gwisgo sach hesian dros eu gwar wrth weithio tu fas – defnydd naturiol a oedd yn rhwystro'r dŵr rhag cyffwrdd â'r croen. Braf gweld bod gan Gymru a'r Iseldiroedd rywbeth yn gyffredin.

Ar y dechrau roedd gen i ormod o gymwysterau a gwybodaeth o'r theori ar gyfer y cwrs. Felly fe dreulies chwe mis ar fferm odro. Yn fuan ar ôl cyrraedd cefais fy ngadael ar fy mhen fy hun yng ngofal y lle. Golygai hyn fy mod i'n gorfod godro rhwng tri deg pump a phedwar deg o wartheg gan ddefnyddio peiriant arbennig. Bois bach, dyna ichi brofiad brawychus. Dro arall ar y fferm, trychineb, pan anghofies sicrhau bod y plwg yn ei le yn y tanc. Gadawodd hyn i'r llaeth i gyd lifo i'r ffos. Whare teg i'r ffarmwr, cyfaddefodd fod yr un profiad wedi digwydd iddo yntau hefyd, ac mai dyna'r unig ffordd i ddysgu.

Er 'mod i'n awyddus iawn i ffermio down i ddim am aros yn yr Iseldiroedd gan fod y system mor ddwys. Roedd mwy o foch na phobol, ac roedd gwaredu'r holl ddom yn broblem enfawr. Yn ystod y saithdegau fel myfyriwr es ar wyliau i Wlad Pwyl gyda ffrindiau. Roedd yn rhatach teithio yno nag aros yn yr Iseldiroedd. Fe fwynheais i'n fawr ac rown i wrth fy modd yn profi ffordd hollol wahanol o fyw. Roen ni'n teithio ar y trên a'r bws o dre i dre gan orfod rhoi ein pasbort i'r heddlu bob dydd. Roedd yn ofynnol i ni wario £2 bob dydd, ond gan ein bod yn gwersylla, roedd yn amhosib gwario'r arian heblaw ein bod ni'n mynd i gael bwyd mewn gwesty drud.

Ar y pryd roedd y wlad dan lywodraeth Gomiwnyddol. Doedd gan y bobol ddim llawer o ryddid, gan fyw mewn ofn a thlodi. Roedd y llywodraeth yn ceisio rheoli bywydau pawb, yn ogystal â'u hymddygiad. Yr hyn oedd yn ddiddorol i mi oedd ceisio siarad gyda'r bobol. Rown i'n methu siarad yr iaith Bwyleg, tra oedd llawer o'r Pwyliaid yn gallu siarad Almaeneg. Ond oherwydd hanes yr Ail Ryfel Byd, doen nhw ddim am siarad gydag Almaenwyr. Yr unig ffordd o gyfathrebu oedd drwy rannu glasied o fodca a sicrhau eu bod nhw'n sylweddoli ein bod yn dod o'r Iseldiroedd, ac yn bendant ddim o'r Almaen. Profiad a oedd yn ymddangos yn eitha cyfarwydd i'r Cymry ar un adeg. Beth bynnag, fe wnes i'r penderfyniad nad own i am symud i'r dwyrain ac roedd yr Almaen yn rhy debyg i'r Iseldiroedd.

Fe benderfynes i droi am Ffrainc, i Agen yn y de i ddechrau, a gweithio ar fferm fach lle'r oedd perllan yn sefyll ar fryn serth. Fy ngwaith i oedd tocio coed, yna eu tynnu a'u llosgi. Bois bach, roedd y gwaith o gerdded lan a lawr y bryn yn ddi-stop yn waith caled. Roedd hi'n fileinig o dwym ar ddechrau'r gwanwyn a gan fod y gwres yn llethol fe benderfynes i nad own i am fynd i'r de chwaith. Down i ddim yn ffansïo'r gogledd gan fy mod i'n tybio y byddai'n rhy oer yno, beth bynnag, a phrinder haul. Flynyddoedd yn ddiweddarach roedd fy mrawd yn byw yn Stockholm a sylweddoles fod yr hinsawdd yno yn ddigon dymunol. Er ei bod wastad yn rhewi yn y gaeaf roedd yr eira lawer yn sychach na'r glaw, ac rown i wrth fy modd yn mynd yno am wyliau.

Yn ddeunaw oed, roedd y Gwasanaeth Cenedlaethol yn fy wynebu, a finne wedi penderfynu nad own i am ymuno. Tipyn o rebel fues i erioed ac yn bendant allwn i ddim cydio mewn arf ar gyfer lladd pobol. Beth bynnag, dwi ddim yn credu bod rhyfel yn medru datrys problemau o gwbwl. Efallai nad oes modd ei osgoi mewn ambell sefyllfa, ond llawer gwell yn fy marn i yw trafod wyneb yn wyneb. Gan ei bod yn anodd iawn i unrhyw un osgoi cyfnod y fyddin yn yr Iseldiroedd, doedd dim llawer yn gwrthod. Roedd rhaid egluro'r rhesymau o flaen tri uwch-gapten, tebyg iawn i lys barn. Ar y pryd roedd cyfnod y fyddin yn cael ei ystyried yn hollbwysig. Y teimlad oedd ei fod yn meithrin disgyblaeth mewn pobol ifanc ac yn eu gorfodi i fyw yn annibynnol, yr un fath i raddau â rôl y brifysgol.

Yr opsiynau eraill oedd dysgu, gweithio i'r gwasanaethau cymdeithasol neu dreulio blwyddyn a hanner yn y carchar. Ond achos 'mod i yn y coleg roedd hawl gyda fi orffen y cwrs cyn wynebu'r fyddin. I ohirio'r penderfyniad hwnnw am dipyn bach hirach, fe wnes i flwyddyn i gael tystysgrif addysg ar ôl gorffen yn y coleg amaethyddol.

Yna, fe ges i gyfle i weithio ar fferm foch yn y pentre lle'r own i wedi treulio cymaint o amser yn ystod fy mhlentyndod. Fe gysylltodd fy nhad gyda'r prifathro yn yr ysgol amaethyddol leol i weld a oedd swydd ddysgu ar gael yno. Ar y pryd roedd fy rhieni yn poeni'n ofnadwy am y ddyletswydd i ymuno â'r fyddin. Felly ar ôl treulio gwyliau yng Ngwlad Pwyl roedd gyda fi ddwy swydd, un i edrych ar ôl cant o hychod, a'r llall yn dysgu un deg naw awr yr wythnos mewn ysgol amaethyddol yn y dre drws nesa. Menter fawr i grwt ifanc, newydd adael coleg ym mis Medi.

Rwy'n teimlo'n gryf na ddylai neb symud fel athro neu athrawes o un ochor y ddesg i'r ochor arall heb gael profiad o'r byd go iawn. Ar y pryd, down i ddim yn gwybod am yr hyn oedd yn bwysig ym mywyd plentyn. Fe wyddwn fod cwricwlwm ar gael ond mae'n bwysig fod plant yn cael eu dysgu gan athrawon sy'n gallu eu hysbrydoli i fyw bywyd llawn. Down i ddim yn credu bod myfyrwyr newydd adael coleg mewn sefyllfa i allu gwneud hynny. Beth bynnag, dysgu oedd y swydd oedd yn fy wynebu i ar y pryd.

Fe fyddwn i'n teithio ar gefn beic i'r ysgol, ond yr anhawster oedd bod perllan afalau ar y ffordd a digon o ffrwythau ar y coed. Pan welwn i'r bechgyn deuddeg oed yn dwyn rhai o'r afalau fedrwn i ddim eu cosbi gan fy mod i wedi gwneud yn gwmws yr un peth dim ond rhyw ddau fis cyn hynny. Felly fe fyddai'n rhaid i mi fynd ar hyd ffordd arall tua thair milltir ymhellach er mwyn osgoi gweld y troseddwyr. Mwy na thebyg 'mod i'n rhy agos at oed y plant i fod yn athro llwyddiannus.

Ar ôl dwy flynedd fe weles i hysbyseb am swydd mewn math gwahanol iawn o ysgol ar fferm yng ngorllewin Cymru a oedd yn canolbwyntio ar ddulliau amgen. Y ddelfryd oedd dysgu'r myfyrwyr i fod yn hunangynhaliol, i fyw ar y tir, i dyfu llysiau ac i ofalu ar ôl yr amgylchedd. Cyn hyn, wyddwn i ddim bod Cymru'n bodoli nac am fodolaeth yr iaith Gymraeg.

Wedi gweld yr hysbyseb fe benderfynon ni fel criw o ffrindiau fynd ar wyliau i ardal y Bannau yn Aberhonddu. Fe wnaeth prydferthwch natur anhygoel yr ardal, y bryniau, y lliwiau, a'r teimlad o ehangder, argraff fawr arnon ni i gyd. Gofynnes i'r fyddin am ganiatâd i adael yr Iseldiroedd er mwyn mynd i ddysgu yng Nghymru, a whare teg, fe ges i fynd.

2
ARIAN YW'R BRENIN

Criw o ryw bymtheg o fyfyrwyr aeddfed o'r Iseldiroedd oen ni pan ddaethon ni i i Gymru yn yr 80au cynnar. Rhan o waith ysgol oedd e, mewn gwirionedd, ond ysgol wahanol iawn, gyda syniad rhamantus yr hipi o fyw ar y tir a dychwelyd i'r hen ffordd o fyw yng nghefn gwlad. Cymysgedd o bobol – y rhan fwyaf yn oedolion, ac un neu ddau deulu gyda phlant – yn ceisio gweithredu system o oroesi oedd yn dibynnu ar fewnbwn ac allbwn isel, trwy dorri'r costau a thorri'r gwario.

Fe weithiodd y cynllun yn iawn am gyfnod ac fe wnes i fwynhau torri tir newydd. Yn anffodus, doedd yr ysgol ddim yn talu'i ffordd yn y diwedd. O ganlyniad, symudodd rhai ohonon ni i'r Siop yn Nhregroes. Mewn un rhan o'r adeilad roedd merch o'r enw Karen, mam sengl gyda thri o blant, John, Joe a Jessie. Fe roddodd hi'r cyfenw 'Tree' ar y plant am ei bod hi'n hoff iawn o goed. Fe deimlai Karen yn unig iawn ar y pryd am fod ei gŵr wedi ei gadael. Roedd criw ohonon ni'n byw mewn rhan arall o'r adeilad. Doedd talu'r rhent ddim yn broblem, gyda phob un yn cyfrannu £10 yr un ato.

Ymhen tipyn, fe benderfynodd Karen symud yn

ôl i Gaeredin gan adael y fuwch, Holly, yn ein gofal ni. Roedd tair erw wedi ei ffensio ac fe wnaethon ni ymdrech i dyfu llysiau. Roedd yn anodd iawn cael dau ben llinyn ynghyd ac fe fyddwn i'n mwynhau gweithio ar y ffermydd cyfagos yn Nhregroes, fel Dyffryn Llynod a Rhiwlug, yn ystod amser cneifio, y cynhaeaf gwair a'r cynhaeaf llafur. Unrhyw beth i gael arian.

Yn ystod y cyfnod hwn fe fyddai na bartïon gwyllt ar adegau, digon o sŵn a digon o fiwsig hyd oriau mân y bore. Fe fyddai hyn yn codi gwrychyn rhai o'r cymdogion, ac eraill yn ei dderbyn fel rhan naturiol o'r bywyd modern. Er gwaetha'r sŵn, fe fyddwn i'n mynnu cadw at un rheol bwysig – dim cyffuriau.

Erbyn yr hydref roedd hi'n stori wahanol, y tywydd yn wael, y fuwch yn hesb, y llysiau wedi gorffen a'r gwaith ar y ffermydd wedi dod i ben dros y gaeaf. Aeth y rhan fwyaf o'r myfyrwyr yn ôl i'w gwlad. Cyfnod anodd iawn oedd dechrau'r 80au, cyfnod Maggie Thatcher, chwyddiant yn cynyddu, prisiau'n codi a'r llog y tu hwnt o uchel am fenthyg arian.

Roedd pawb yn yr un cwch yng nghefn gwlad, heb arian sbâr i gyflogi gweithwyr, a'r canolfannau garddio heb ddatblygu hyd yn hyn yn yr ardal hon. Doedd neb yn meddwl am wario arian ar bethau dwl fel planhigion i'r ardd. Dim llawer o dai wedi cael cot o baent ar y tu fas – gwastraff arian. Roedd cefn gwlad Cymru fach yn dlawd iawn. Dyma ni bellach, heb swydd, heb gyflog, heb incwm, heb ddim. Pedwar ohonon ni oedd ar ôl erbyn hyn, sef Ans, fy mhartner, a finne, Joyce a Freda. Sut yn y byd y gallen ni oroesi?

Fe gofies i'n sydyn am y profiad o fynd i'r farchnad gyda fy mam 'nôl yn yr Iseldiroedd pan own i'n blentyn, yn ystod y gwyliau, ac fel nifer o famau a phlant eraill, yn mynd i weld dyn y waffls. Cofio'r profiad o wynto'r waffls ymhell cyn ei weld, ac yna flas anhygoel y waffls twym. Naïf iawn oedd y freuddwyd o geisio gwerthu waffls i'n cynnal ni pan oen ni ar ein cythlwng, ond roedd unrhyw beth yn werth ei ystyried ar y pryd. Wedi'r cyfan, yr unig fuddsoddiad fyddai'n angenrheidiol fyddai peiriant y 'waffle iron'. Rwy'n siŵr fy mod i wedi dechrau gwerthu waffls yng Nghymru yn gwmws yr un ffordd ag own i'n cofio'r dyn yn y farchnad yn yr Iseldiroedd.

Roedd ffatri fach gwneud waffls yn ein gwlad enedigol, mewn tref o'r enw Gouda. Perchennog y ffatri oedd cyn filwr o'r enw Piet Bouter a oedd wedi cael ei anfon i ryfel yn Korea. Wedi colli ei gyd-filwyr, ef oedd yr unig un a oroesodd ac roedd yn dioddef o effeithiau seicolegol yr ymladd. Cyngor ei feddyg iddo oedd y dylai adrodd ei stori wrth bob un a fyddai'n barod i wrando.

Ar ôl prynu'r 'waffle iron' am 200 gildas (tua £100) a gwrando ar stori Piet yn amyneddgar am ddwy awr fe ofynnodd a wyddwn i rywbeth am y broses o baratoi'r waffls. Aeth ymlaen i roi rhai cyfarwyddiadau cyn tynnu allan rhyw bishyn bach o bapur o boced ei got, papur bach a brofodd yn werth ffortiwn yn y pen draw.

Dyna'r rysáit cyfrinachol sy'n dal i gael ei ddefnyddio bron yn gwmws yr un ffordd hyd heddiw.

Noson tân gwyllt arweiniodd at y penderfyniad i sefydlu busnes. Roedd grŵp o bobol Tregroes wedi trefnu'r parti ar gyfer y pentrefwyr a phlant yr ysgol, gyda digon o dân gwyllt a digon o fwyd. Roen ninne'n awyddus i gyfrannu, a'r unig beth allen ni ei gynnig oedd un o'n danteithion traddodiadol ni o'r Iseldiroedd. Fe blesiodd blas y waffl, gan danio dychymyg y plant a'r oedolion. Tasgodd ei gwreichion ymhell a lledu ar draws Cymru. Ac erbyn hyn mae'r waffl wedi helpu i osod pentre bach yng ngorllewin Cymru ar fap y byd.

Doedd gyda ni ddim byd i wneud y toes ond hen fowlen golchi llestri, ynghyd â thafol gyffredin, y 'waffle iron' a'r darn bach o bapur cyfrinachol hollbwysig. Roedd rhaid rholio'r toes â llaw yn union fel selsig, yna'i rannu gyda chyllell cyn gorchuddio'r waffls. Byddai'r waffls yn cael eu pobi am funud, yna'n cael eu siapio a'u torri cyn rhoi'r toffi yn y canol, yna'u gadael i oeri ychydig cyn eu gwerthu. Deuddeg ceiniog oedd pris un waffl ac un deg wyth ceiniog am y cwdyn o'r briwsion a ddeuai o'r ymylon ar ôl eu torri.

Y fenter fusnes gynta oedd ar y 5ed o Dachwedd 1983 ger y rheilffordd yn Henllan yn ystod parti tân gwyllt arall. Roedd ymateb y pentrefwyr yn Nhregroes wedi bod mor galonogol ac yn ysbrydoliaeth hefyd. Felly, bant â ni i Henllan. Yno wrth y rheilffordd, ar ôl dwy awr, roen ni wedi gwerthu gwerth £50 o waffls.

Pum deg punt! Ffortiwn yn y cyfnod hwnnw. Yn dilyn y llwyddiant fe gawson ni drafodaeth ynglŷn â chyfrannu hanner yr arian at achos Comin Greenham gan fod Helen Thomas, merch o Gastellnewydd Emlyn, yn rhan o'r brotest. Yn gwbwl drasig, fe gafodd ei lladd yno yn ddiweddarach. Coffa da am ei hymdrech a'i haberth.

Roedd cyfnod y ffeiriau ar y gorwel ac fe glywes yn ddiweddarach fod ffair Aberteifi yn cael ei chynnal ar y 10fed o Dachwedd. Fe benderfynon ni baratoi dwywaith cymaint o does a mynd y diwrnod cynt i chwilio am safle neu *pitch* ar gyfer stondin. Bois bach, dyna le! Pawb dros ei hunan, *free for all* go iawn, cymeriadau lliwgar y ffair a'r farchnad blith draphlith, yn ymladd am fymryn bach o le i osod stondin. Ond doedd dim troedfedd wag yn unman.

O'r bont hyd dop yr ysgol uwchradd roedd pob sbotyn, pob troedfedd yn orlawn. Anhrefn llwyr, heb neb mewn awdurdod yn rheoli a phob man mor llawn o stondinau fel na fyddai gobaith i ambiwlans na char yr heddlu wthio drwyddo. Fe wyddwn fod dewis y safle anghywir yn golygu dim un math o lwyddiant, yr un fath ag Oxford Street yn Llundain. Fe fyddai rhaid bod ar y tu blaen cyn medru gwerthu unrhyw beth. Deg troedfedd y tu ôl a fyddai dim siawns gwerthu o gwbwl. Neb yn dod, neb yn prynu. Felly'n union oedd hi nawr ar Oxford Street Aberteifi.

Tu fas i Neuadd y Dre roedd croesfan sebra, a dyna'r unig fan gwag bob ochr i'r hewl yng nghanol yr holl fwrlwm. A'r rheswm? Roedd dau heddwas yn sefyll bob ochr yn gwbwl ddall i'r bwrlwm a'r anhrefn o'u cwmpas, gan ddisgwyl i'w shifft orffen am un ar ddeg o'r gloch yr hwyr! Yn syth ar ôl iddyn nhw fynd, dyma Ans yn gweiddi, "Kom Hier Vlug. Dere glou, stondin lan, a 'nôl adre i'r gwely a gweddïa i'r Iôr y bydd hi'n dal yma bore fory."

Codi am chwech fore trannoeth a 'nôl i Aberteifi erbyn saith y bore. Roedd y lle yn sang di fang, y loris a'r fans wedi bloco pob man yn llwyr. Ond diolch byth, roedd y stondin, sef bwrdd deg troedfedd gyda pholion yn dal y fantell gynfas yn sownd, yn dal yno. Anarchiaeth lwyr, ac yng nghanol yr holl ferw, ninne â'r *pitch* gorau oll, reit ar bwys Neuadd y Dre. Bendigedig!

Erbyn pump o'r gloch y nos, jyst pan oedd y bobol yn dechrau dod yn dyrfaoedd, roen ni wedi gwerthu allan yn llwyr ac wedi ennill dros £100. Pe bydden ni wedi dod â phum gwaith cymaint o waffls, allen ni fod wedi ennill £500 yn rhwydd. Heddi, fe fyddai'n cael ei ystyried yn drosedd ddifrifol, gan fod disgwyl i bob gyrrwr fan sicrhau bod ganddo stoc ychwanegol, rhag ofn!

Yn sgil y llwyddiant ysgubol ac annisgwyl yn ffair Aberteifi bu bron i Ans a finne wahanu ynglŷn â mater bach, sef maint y waffls a maint y sosej ar ddechrau'r broses. Pa faint oedd yn rhy fawr neu'n rhy fach? Yn y diwedd fe gytunon ni mai peiriant rhannu toes fyddai'r ateb er mwyn eu cael yn union yr un faint. Dyna wnaeth achub ein perthynas. Drwy aelod o'r teulu yn yr Iseldiroedd a oedd yn gefnogol iawn i'r fenter, fe welson ni hysbyseb yn yr hen wlad bod un o'r cwmnïau bach yn gorffen ac yn gwerthu'r offer – y cymysgwr, y rhannwr a ffwrn arall. O weithio'n galed gyda'r offer addas fe fyddai modd cynhyrchu 100–200 waffl yr awr. Problem arall oedd sut i'w cadw'n ffres a'u haildwymo yn y farchnad.

Ar y 13eg o Dachwedd roedd ffair Aberaeron, a ffair Aberystwyth yn fuan ar ôl hynny ar y drydedd nos Lun ym mis Tachwedd. Popeth yn mynd yn dda. Ond ar ôl Nadolig daeth tro ar fyd, a ninne'n ffaelu gwerthu dim. Dim un! Beth oedd yn bod? Beth aeth o'i le? Sylweddoli ymhen tipyn mai'r rheswm oedd bod pobol wedi gwario cymaint dros y Nadolig fel nad oedd ceiniog goch ar ôl i brynu dim, heb sôn am waffls.

Roedd y profiad hwn yn hollol wahanol i'r traddodiad yn yr Iseldiroedd. Yng Nghymru a Lloegr mae Nadolig yn golygu bwyta'n dda a gwario gormod ar anrhegion, fel nad oes fawr o arian sbâr ar gyfer y cyfnod sy'n dilyn. Gwasanaeth crefyddol eglwysig fyddai yn yr Iseldiroedd i ddathlu geni Crist a'r diwrnod pwysig fyddai'r 6ed o Ragfyr, o flaen y Nadolig, Gŵyl Sant Niclas. Fe oedd Esgob Madrid a fyddai'n dod gyda'i was, Piet Du, ar gefn ceffyl gwyn yn carlamu dros doeon y tai, gan aros i wrando wrth bob simnai er mwyn clywed a oedd y plant wedi bod yn blant da neu beidio. Fe fyddai'r plant drwg yn cael mynd yn ei sach yn ôl i Sbaen.

Dyma'r diwrnod pwysig yn yr Iseldiroedd ac fe fydden ni fel teulu yn dathlu ar fferm ein tad-cu, gan ddisgwyl dyfodiad Sant Niclas. Aros i ddarganfod a oen ni wedi ymddwyn yn ddigon da i haeddu melysion sbesial na fydden ni'n eu cael yn ystod y flwyddyn. Fe brofodd y traddodiad yn y wlad hon o wario gormod dros y Nadolig yn dipyn o sioc i ni. Cyn yr ŵyl roedd gwerthiant y waffls wedi cynyddu'n enfawr, pobol yn gwario ffortiwn a ninne ar gefn ein ceffyl, ond profiad cwbwl wahanol ar ôl hynny. Roedd y tymhorau yn sicr yn effeithio ar y gwerthiant.

Ar ôl hyn, fe fentron ni i farchnad Caerfyrddin, ond doedd dim gobaith cael lle i stondin – heblaw bod un o'r stondinwyr yn marw. Yr unig ateb oedd gweithio tu fas gan wynebu pob math o dywydd. Ond mewn tywydd gwlyb, oer a diflas, roedd y waffl dwym, felys, yn fwy tebygol o apelio. Doedd dim posib cael *pitch* ar ddydd Mercher, felly roedd rhaid rhoi cynnig ar ddydd Sadwrn, Ans yn coginio a finne'n gwerthu, ond heb lawer o lwyddiant.

Ar ôl chwech wythnos, ac yn barod i roi'r ffidil yn y to, dywedodd Ans ei bod hi am dreio gwerthu a'm gadael i yng ngofal y coginio. Ei hwfftio wnes i, heb ddisgwyl unrhyw welliant gan ei bod hi'n ferch ddigon tawel. Roedd ein safle ni drws nesa i Charlie (Bric a Brac) a gyferbyn â Selwyn (Cocos Penclawdd). Fe gawson nhw sbri anghyffredin. Bob wythnos roedd Ans yn gwerthu gwerth £10 ychwanegol. Ymhen tipyn, pan oedd hi'n disgwyl babi, bu'n rhaid i fi fynd yn ôl i werthu. Y syndod ges i oedd bod neb yn gofyn, "Shwt wyt ti?" ond pawb yn gofyn "Shwt mae dy wraig?"

Mewn llefydd fel y farchnad fe ddewch chi o hyd i

gymeriadau lliwgar tu hwnt, fel Charlie Bric a Brac a Selwyn Cocos Penclawdd. Ar y stondin tu fas roedd y tywydd yn gallu bod yn go arw a'r dillad glaw yn hollol angenrheidiol ar gyfer diwrnodau fel hyn. Un tro roedd Ans wedi diosg ei dillad glaw a'u gosod wrth ei hochr. Ond ar ddiwedd y shifft roen nhw wedi diflannu. Roedd hi'n meddwl ei bod hi wedi gadael ei throwsus a'i siaced yn rhywle.

Yr wythnos ganlynol fe ddigwyddodd Ans weld un o'r ffyddloniaid oedd yn dod bob wythnos i ymweld â stondin Charlie a'n stondin ninne, yn cerdded o gwmpas yn ei dillad hi. Roedd hi'n hollol siŵr, achos roedd bathodyn yr Iseldiroedd i'w weld yn glir arnyn nhw. Fe ddeallodd wedyn bod Charlie ar y stondin drws nesa wedi eu gwerthu am bunt gan dybied mai peth o'r trangwns ar ei stondin e oedden nhw. Yn y diwedd fe gafodd y dyn ei bunt yn ôl a chafodd Ans hithau ei chot. Pawb yn hapus. Atgofion melys!

Roedd y gwaith o werthu ar y stondin yng Nghaerfyrddin yn brofiad yn ei hunan gan fod pawb yn rhan o gymuned fach glòs. Yr un bobol, yr un amser, fyddai yno o wythnos i wythnos. Roedd hyn yn grêt i fi ar gyfer dysgu Cymraeg. Fe fydden nhw'n fy nghefnogi ac yn fy annog i fentro siarad ac o ganlyniad fe fyddwn i'n dysgu cwpwl o ymadroddion bob wythnos fel "Bore da", "Mae'r tywydd yn wael" neu "Mae'r haul yn tywynnu." Roedd y gwelliant yn yr iaith yn cyd-fynd gyda'r gwelliant o ran y gwerthiant, y ddau beth yn mynd law yn llaw. Roedd cwsmeriaid wrth eu bodd yn dod i weld a oedd fy Nghymraeg yn gwella ac roedd hyn yn golygu bod rhaid i fi ehangu geirfa a mentro i drafod pethau heblaw ymadroddion syml am y tywydd. Dysgu geiriau newydd o wythnos i wythnos, ehangu'r sgwrs er mwyn dal sylw'r cwsmeriaid a'u denu i sefyll wrth y stondin am sbel fach ychwanegol. Roedd y sgwrsio mor bwysig er mwyn cynyddu'r busnes. Roedd rhaid dysgu llawer mwy o eiriau o hyd ac o hyd er mwyn dal diddordeb y bobol yr ochor arall i'r stondin.

Mae'r grefft o werthu, ac ymateb y cwsmer, yn rhywbeth rhyfedd iawn. Byddai rhai pobol yn dod yn syth at y stondin yn llawn chwilfrydedd, ac yn awyddus i roi cynnig ar ein cynnyrch. Eraill yn cerdded heibio, yn osgoi fy llygaid. Yna, ar ôl rhyw bum neu chwe blynedd, fe fydden ni'n medru torri trwyddo, ac o ganlyniad yn aml fe fydden nhw'n profi'n gwsmeriaid da, ac yn prynu o wythnos i wythnos.

Odi, mae'r grefft o gyfathrebu a pherswadio'r cwsmer yn rhywbeth cymhleth iawn ac yn anodd i'w ddeall. Mae'n wir am bob swydd. Beth bynnag yw'r cynnyrch, mae'r dechneg a'r ffordd o gysylltu â phobol yn gwbwl allweddol. Syndod i mi oedd siarad â Helen Gibbon yn ddiweddar, un o'r cantorion sy'n canu gyda fi weithiau, a hithau'n cyfaddef mai newydd flasu waffls am y tro cynta roedd hi. Anodd iawn credu bod unrhyw Gymraes heb dreio'n cynnyrch ni ar ôl tri deg pedwar o flynyddoedd.

Erbyn hyn roedd Karen, perchennog siop Tregroes, sydd nawr yn byw yng Nghaeredin, heb swydd, a doedd dim hawl bod yn berchen ar ciddo os oeddech chi ar fudd-dal. Daeth Y Siop ar werth ond gan ei fod yn adeilad mor fawr down i ddim yn disgwyl ei fod yn mynd i werthu'n glou. Ond fe ddaeth cynnig o fewn wythnos, ac o ganlyniad, roedd rhaid i ni symud ar unwaith. Bues i'n trafod gydag Eirwyn James, un o'r pentrefwyr, ac roedd e'n sôn am gael cynnig i'w phrynu yn y 1930au am £500. Ond roedd ei ewythr wedi ei gynghori nad oedd yr adeilad yn werth gymaint â hynny am ei fod mewn cyflwr gwael. Daeth cyfle arall iddo ymhen rhai blynyddoedd a'r tro yma, £3000 oedd y pris. Roedd Eirwyn yn cofio'r cynnig cynta ac fe benderfynodd fod y pris nawr yn rhy uchel.

Yn 1984, a newydd ddechrau gwerthu waffls ers rhyw bedwar neu bum mis, roedd rhaid i fi fynd i weld fy rheolwr banc i geisio codi arian i brynu'r Siop, ac fe wnaethon ni rhyw gynllun busnes. Sut i dalu oedd y broblem, gyda dim ond £10 yn y cyfrif banc. Roedd y rheolwr yn ddyn doeth, yn ymddiheuro, ond yn ffaelu cynnig benthyciad. Es i 'nôl adre gyda 'nghwt rhwng fy nghoesau. Rown i wedi dechrau ar rai gwelliannau o ran y pobi ac yn dal i dyfu rhai llysiau. Wedi aredig hanner y cae, fedren ni ddim aredig y gweddill gan ein bod wedi addo i Karen y byddai'r cae yn cael ei roi'n ôl yn borfa pan ddeuai hi'n ôl o Gaeredin.

Un diwrnod daeth Derek Green, perchennog fferm Dyffryn Llynod, i aredig y cae ac yn ystod ei ymweliad eglures nad oedd y rheolwr banc am roi benthyciad i ni. Fore trannoeth, fe gysylltodd ar y ffôn gan ofyn a oedd cynllun busnes gyda ni. Roedd wedi trefnu apwyntiad arall gyda'i reolwr banc ei hunan, gyda gorchymyn i mi ymddangos yn daclus a dod â'r cynllun busnes gyda fi. 'Nôl i Landysul drannoeth, gyda Derek. Wrth drafod busnes y waffls gyda Mr Jones, y rheolwr banc, fe fyddai Derek yn ymyrryd ac yn torri ar draws y sgwrs er mwyn ceisio fy helpu. Bob tro roedd y rheolwr yn codi rhyw fwgan, fe fyddai Derek yn rhoi rhyw awgrym cefnogol i gryfhau'r achos o'n plaid. Erbyn amser cinio roedd y rheolwr yn barod i gynnig morgais i brynu'r Siop. Bob Nadolig, fe fydda i'n galw yn Nyffryn Llynod gyda photel o win i drafod y fenter ac i ddathlu'r llwyddiant.

All profiad tebyg ddim digwydd yn ein cyfnod ni, gan fod penderfyniadau benthyca yn digwydd drwy'r cyfrifiadur. Ar y pryd roedd y berthynas rhyngof i, Derek Green a Mr Jones y banc yn gwbwl allweddol. Mae'n drueni bod pethau wedi newid. Digwyddiadau'r dyddiau hynny wnaeth drawsnewid ein bywydau ni.

Fe wnaethon ni ein gorau i oroesi ac roedden ni wedi ein hysbrydoli o gael y fath gymorth. Serch hynny, fe eglures wrth y rheolwr banc mai penderfyniad rhwng pobol fyddai'r cytundeb, nid ffigurau ar gyfrifiadur. Fe ddywedes i wrtho y bydden ni'n brin o arian ar brydiau, siŵr o fod, ond fy mod i am iddo gysylltu'n syth, yn hytrach na gadael i siec fownsio. Byddai'r sefyllfa'n gyfrinach rhyngddo fe a fi. Efallai y byddai'n ofynnol i ambell un aros am ei arian. Dyna beth yw bywyd, crwydro'n agos i'r ymyl wrth gerdded y planc, ond y peth pwysig drwy'r blynyddoedd yw bod yn onest ac yn agored wrth drafod busnes, ac yn wir, wrth drafod popeth.

3

GWERTHU, GWERTHU, GWERTHU

Un diwrnod fe alwodd person o'r enw David Glaister yn Y Siop yn Nhregroes i ofyn a allai werthu'r waffls. Fe oedd perchennog y siop yn Aberbanc. Busnes bach, bach oedd ganddo ac yn cau bob prynhawn Mercher fel llawer o siopau'r ardal. Am nad oedd y siop yn gwneud digon o incwm, roedd ganddo rownd bop Tovali o gwmpas yr ardal. Erbyn hyn roedd wedi heneiddio ac yn dioddef o gefn tost a chario'r pop yn mynd yn ormod o dasg iddo. Roedd wedi newid ei rownd i werthu Smith's Crisps, o Fforestfach yn Abertawe, yn ei lori fach i'r siopau mân-werthu lleol yn Llambed a Llanybydder.

Digon amheus own i, achos yn fy marn i, allan yn yr awyr agored, yn y tywydd garw ac arogl y waffls ffres yn denu pobl at y stondin, oedd y lle gorau, yn sicr. Fyddai ceisio'u gwerthu mewn siop ddim yr un peth o gwbwl. Ond roedd yn benderfynol o drio ac am gael cant o becynnau i ddechrau, yn ogystal â'r bagiau'n llawn briwsion. Yn y farchnad rown i'n arfer gwerthu'r waffls mewn cwdyn papur, ond yn y siopau roedd yn bwysig bod y waffls yn cadw'n ffres am wythnos. Felly, roedd angen cwdyn plastig i'w dal a llinyn i'w clymu. Doedd dim labeli gyda ni ar y pryd, a thipyn o ben tost oedd trefnu'r gwahanol ffyrdd o'u gwerthu. Fe fu'n rhaid iddo dalu ymlaen llaw ar y telerau dim gwerthu, dim arian 'nôl.

Ond pan ddaeth nos Fercher, er syndod mawr roedd am archebu dau gant o becynnau ar gyfer yr wythnos ganlynol. O wythnos i wythnos roedd y bobol yn dal i brynu ganddo, y cyfan yn mynd, heb fod ots am y tywydd. Pan ddaeth David Glaister atom i werthu waffls, roedd angen disgownt arno, yn ogystal ag elw i'r siopau. Felly, roen ni, o ganlyniad, yn ennill llai, ond roedd hyn yn golygu llai o ymdrech i werthu hefyd. Roedd ennill llai yn golygu gwerthu mwy mewn ychydig amser. Cam llwyddiannus a doeth.

Un o'r problemau yn y farchnad wrth gwrs oedd bod y tywydd a'r gwynt yn aml yn chwythu'r nwy allan. (Y nwy oedd yn cynnal y gwres i dwymo'r waffls.) Er mwyn datrys y broblem fe wnaeth ein ffrind Irma o Ffosyffin gynllunio sgrin arbennig i'w gosod bob ochr i'r stondin a'r arwydd TREGROES WAFFLE BAKERY. Digon amrwd oedd yr ymgais gynta, ond dyma'r brand a ddaeth yn enwog dros Gymru gyfan a'r Deyrnas Unedig wedyn.

Gwraig o'r enw Pat a oedd yn byw ym Maesymeillion oedd y person cynta i ni ei chyflogi i weithio gyda ni. Ar y pryd roedd yn gwerthu petrol yn Highway Garage yn Llandysul am gyflog o £1 yr awr. Fe dderbyniodd hi'r cynnig o £1.25 yr awr am ein helpu ni yn Y Siop yn Nhregroes. Yr unig declynnau neu offer oedd gyda ni ar yr adeg hon oedd sinc golchi llestri, bwrdd mawr hir, cyllell lefn, cymysgwr a'r peiriant rhannu. Awd ati i weithio yn agos i'n gilydd, un yn pobi, un yn gwasgaru'r haen o doffi ac un yn eu pacio.

Yn raddol fe ddaethon i sylweddoli bod angen i ni fod yn fwy proffesiynol. Cytunodd Irma i ailgynllunio'r sgrin wynt a chreu labeli mwy safonol. Fe deimlem yn falch iawn ohonyn nhw gan eu bod yn edrych gymaint yn well. O gael pecynnau mwy proffesiynol yr olwg daeth cynnydd yn y gwerthiant, rhywbeth a'n galluogodd i brynu'r peiriant pobi cynta. Fe olygodd hyn ein bod yn medru cynhyrchu mil o waffls yr awr. Nawr, byddai un person yn eistedd yn agos i'r ffwrn, yn eu rhoi nhw ar y lein i'w torri'n otomatig, yna'u tynnu mas, eu rhannu, a'u gosod ar y belt.

Mae Owen Shiers yn cofio un digwyddiad pan ddaeth gyda'i dad, Allan Shiers (Telynau Teifi), i'r hen siop yn Nhregroes i wynebu sefyllfa o argyfwng. Roedd y peiriant rhannu waffls wedi torri ac er bod ei dad wedi ceisio ei drwsio gyda llinynnau telyn, credwch neu beidio, yr unig beth a wnaeth y tric oedd llinyn F# yr harpsicord! Tybed a oedd sain y peiriant ychydig bach yn fwy siarp ar ôl hyn?

Yn ystod shifft y bore fe fyddai'r cyfanswm yn 500 o waffls yr awr. Wrth gwrs, fe fyddai pawb yn edrych ymlaen at gwpanaid o goffi cryf, da, yn ystod toriad y bore. Meddyliwch, coffi go iawn, dim Nescafé, a hynny ymhell cyn bod coffi yn ddiod boblogaidd. Ar ôl y toriad, fe fyddai popeth yn gweithio'n well, gyda'r cynhyrchu yn cynyddu o 500 i 600 yr awr. Hwn oedd cyfnod mwya cynhyrchiol y dydd, gyda llai yn cael eu cynhyrchu yn y prynhawn.

Ar bob basged fe fyddai dau ddwsin o becynnau, pob un yn cynnwys wyth waffl. Fe fyddai David Glaister yn dychwelyd gyda'r basgedi gwag bob nos Fercher. Roedd yn gymorth mawr ei fod yn adnabod ei gwsmeriaid. Ymhen rhai blynyddoedd fe wnaeth ymddeol ar ôl i bobol newydd brynu'r busnes, a chyn hir wedyn fe wnaeth y siop gau. Ar ôl hyn fe benderfynes i fynd at y cwsmeriaid fy hunan gan eu bod yn dal i ofyn yn daer am y waffls. Yn y cyfamser, roen ni'n dal i fynd i'r marchnadoedd hefyd, ond roedd y gwerthiant erbyn hyn yn fwy cyson, a llai yn dibynnu ar y tywydd neu'r tymor.

Rown i'n raddol yn mynd yn fwy uchelgeisiol, gan freuddwydio am wneud fy ffortiwn ymhen rhyw dair blynedd er mwyn medru troi at ffermio. Dyna'r syniad, ond roedd yn bwysig ein bod yn dal i gynyddu'r gwerthiant. Yn y cyfnod hwn roedd Morrisons heb brynu Safeway yn Swydd Efrog. Rown i am dreio gwerthu mewn archfarchnad mas o'r ardal. A dyma fi'n prynu fy siwt gynta erioed, gwisgo'n smart er mwyn creu argraff wrth gyflwyno'r waffls i archfarchnad yn Wakefield. Ar ôl trafodaethau hir a chaled fe benderfynon nhw dderbyn rhai. Finne'n teimlo'n bles, achos o werthu ymhell o gartre fydden ni ddim yn sathru ar droed unrhyw gwsmer arall.

Dyma'r amser y dysges i wers bwysig iawn mewn busnes. ARIAN YW'R BRENIN. PAID BYTH Â

GWERTHU NWYDDAU YN RHY RHAD. Dyma'r rheswm pam y daeth y berthynas hon i ben am y tro. Fe werthes i'r waffls yn rhy rhad i Morrisons, ac ar ôl pythefnos fe sylwes ein bod yn colli arian yn lle gwneud elw. Fe geisies i godi'r pris, ond ar ôl iddyn nhw wrthod, roedd rhaid gorffen masnachu. Flynyddoedd yn ddiweddarach fe dales i ymweliad arall â'r siop a delio gyda'r un person a oedd, yn rhyfedd iawn, yn dal i fy nghofio.

Hanes y busnes ar ôl hyn oedd gwerthu, gwerthu, gwerthu, a chyflogi mwy a mwy o bobol. Ond doedd y llwyddiant ddim heb ei broblemau. Yr hoelen ola oedd digwyddiad un nos Nadolig ar ôl cloi'r drws a mynd i'r gwely. Dyma'r gloch yn canu. Ar y trothwy tu fas roedd bachgen ifanc oedd wedi yfed tipyn yn ormod, yn holi am waith. Rhoddodd Ans ei throed lawr a mynnu naill ai ein bod yn lleihau'r gwaith neu'n symud y busnes i rywle arall. Roedd ansawdd bywyd teulu yn dioddef o ganlyniad i'r llwyddiant, a'r busnes yn tyfu – tyfu'n rhy gyflym efallai.

Fel y sonies i, rown i am droi at ffermio. Yna sylweddoles nad own i mewn gwirionedd yn or-hoff o edrych ar ôl anifeiliaid nac o dyfu llysiau. Apêl y fferm oedd y ffaith bod y teulu'n gallu bod gyda'i gilydd, cael brecwast yr un pryd a threulio gweddill y dydd o fewn cyrraedd i'n gilydd. Mae wedi bod yn brofiad mor gyfoethog i lwyddo i fagu teulu ac i ddatblygu'r busnes gyda'n gilydd law yn llaw yn ystod cyfnod cynta ein bywyd. Yn Y Siop, yn ystod y toriad, roedd y ddwy groten fach yn gallu eistedd yn fy nghôl ac yn nes ymlaen yn gallu mynd drws nesa i gael cinio, pawb gyda'n gilydd. Wrth symud y busnes i Landysul, un o'r newidiadau mwyaf anodd i'w dderbyn oedd gorfod rhannu gwaith a bywyd teuluol.

Ar yr un pryd roedd rhaid gwneud penderfyniadau anodd o safbwynt y busnes. I redeg unrhyw fath o fusnes bwyd mae'r geiriau 'swm' a 'maint' yn allweddol, e.e. o werthu 100 o waffls am 1c yr un, y cyfanswm fyddai £10. O werthu 10,000 am yr un pris, byddai'r cyfanswm yn £1,000. Roedd angen llawer o ystyriaeth. A oedd yr amser wedi dod i symud y busnes allan o'r Siop? Dan ystyriaeth hefyd fu'r syniad o werthu te a waffls yn y pentre a chreu rhyw fath o arddangosfa i dwristiaid.

Yn ogystal, roedd rhaid ystyried y ffaith fod y lorïau mewn gwirionedd yn llawer rhy fawr i lonydd bach cul dyffryn Cerdin. Roedd wal tŷ Glaspant yr ochr draw wedi dioddef eisoes a lori arall wedi taro postyn ger y bwthyn gyferbyn. Druan o'r gyrwyr lori, yn cael tipyn o sioc wrth wynebu'r broblem o dywys y cerbyd anferth dros bont Croca ar y ffordd i Dregroes.

Erbyn mis Ebrill 1994 roedd y penderfyniad wedi ei wneud droson ni mewn gwirionedd, a'n gorfodi i droi ein golygon i gyfeiriad safle arall yn Llandysul. Felly y bu. O leiaf fe lwyddon i fyw a gweithio fel teulu hyd nes bod Kyna, y ferch ifanca, yn bump oed.

4
CYFAREDD Y CWM

Yr argraff gynta ges i ar ôl cyrraedd Cymru oedd ei bod hi'n wlad mor werdd, mor bert. Cymaint o goed a chymaint o ddefed, mor wahanol i'r Iseldiroedd. Mae pentref Tregroes yng nghanol cwm cul yn dilyn afon Cerdin, gydag allt Fronwen ar un ochr yn torri cysylltiad rhwng y pentre a'r byd tu allan.

Drws ffrynt Y Siop oedd canolbwynt y pentre, yn llawn bwrlwm. Hanner awr wedi wyth y bore, y bws yn hebrwng plant o Faesymeillion a Chroeslan i'r ysgol; yr athrawon yn gwibio heibio er mwyn cyrraedd mewn da bryd; Bessie James yn cerdded i'r ysgol yn ei ffedog las; yr un bwrlwm am hanner awr wedi tri y prynhawn. Tu fas i ddrws yr ardd rown i mewn gwynfyd, dim cymdogion ar y ddwy ochor, dim ond caeau, gallt Fronwen, afon Cerdin a chae'r Siop. Yr olygfa orau yn y byd. Heddwch!

Roedd yno gymdeithas glòs, pobol garedig a phawb yn nabod pawb fel un teulu mawr. Y byd i gyd oedd ein byd bach ni, gyda'r teimlad o gymdeithas mor gryf. Mor gryf! Er ein bod ni'n eitha gwahanol, pobol o'r byd arall, roen ni'n cael croeso gwych yn gyffredinol. Fe gwrddon ni'n ddigon clou â theulu Rhiwlug, gan eu bod nhw'n teithio ar gefn eu tractor bob dydd drwy'r pentre ar eu ffordd i'w ffermydd eraill, Abercefel neu Gellifraith.

Rwy mor falch ein bod wedi cael y profiad hwn. Yn anffodus mae'n diflannu'n raddol gan fod bywyd y wlad yn newid drwy'r amser. Un elfen yn y gymdeithas oedd yn ddieithr iawn i ni oedd bod pawb am wybod busnes pawb. Ar ôl cyfarwyddo â'u ffordd o fyw, fe ddaethon ni i fwynhau'r nodwedd hon. Pe baen ni'n dychwelyd i'r Iseldiroedd am rai diwrnodau roen ni wastad yn gwneud yn siŵr bod ein cymdogion yn gwybod ein bod yn mynd bant. Fe fydden nhw'n edrych ar ôl y lle gan wneud yn siŵr bod popeth mewn trefn. Ambell dro yn y gaeaf, fe fydden nhw'n cynnau tân ac yn gadael potelaid o laeth yn y ffridj i ni. Efallai bod rhai pobol yn teimlo ei fod yn ymyrraeth ar breifatrwydd, ond i ni roedd yn deimlad rhyfeddol o dda a chynnes. Dyma ran arall o draddodiad y pentre a bywyd cefn gwlad.

Yn raddol yn yr 1980au, daeth llif o estroniaid i'r ardal. Roedd y mwyafrif ohonyn nhw heb sylwi eu bod wedi symud i wlad arall, gwlad mor wahanol o ran ei thraddodiadau. Hwyrach bod rhai wedi dod am y rhesymau anghywir – dod am fod y tai yn rhatach ac wedyn yn ffaelu derbyn yr iaith, y gymdeithas a'r pethau gwahanol sy'n digwydd yma. Mae'n rhaid ei bod yn sioc ddiwylliannol iddyn nhw. Fe gafodd llawer o dai eu gwerthu. Symudodd pobol i mewn, yn aml yn teimlo fel hwyaid mas o ddŵr, a chyn pen dwy neu dair blynedd, yn symud mas 'to. Yn ystod y cyfnod rwyf wedi byw yn y pentre, dim ond tri o dai newydd sydd wedi cael eu hadeiladu, a whare teg, mae enwau Cymraeg ar y tri.

Erbyn hyn mae'r gymdeithas a'r hen ffordd o fyw bron â diflannu. Ond pan ddes i, roedd yr ardal bron yn gyfan gwbwl Gymraeg a'r cymdogion yn y ffermydd yn helpu ei gilydd. Yn anffodus, nid pobol ifanc ond pobol yn ymddeol sydd wedi symud i mewn yn raddol. Mae'r straen o fyw o ddydd i ddydd wedi cynyddu, gyda gwraig y fferm yn gweithio mewn swyddfa, ac yn aml yn gadael pryd bwyd mewn cling ffilm yn yr oergell ar gyfer y gweithwyr. Gymaint tlotach yw bywyd y teulu o ganlyniad.

Pan own i'n cyrraedd Tregroes, a dechrau helpu gyda'r cneifio neu'r cynhaeaf gwair, fe ddeuai gwledd o fwyd mas yn ystod y te prynhawn cyn godro. Down i erioed wedi gweld unrhyw beth fel hyn yn yr Iseldiroedd. Ond roedd yn creu rhyw naws arbennig pan oedd teulu'r fferm yn gwerthfawrogi cefnogaeth y cymdogion i helpu i gasglu'r cynhaeaf.

Mewn pentre bach gwledig fel Tregroes, yr ysgol oedd canolbwynt y pentre ac, yn sicr, penderfyniad doeth oedd danfon ein dwy ferch, Fflur a Kyna, i'r ysgol hon. Dewis da. Rwy'n poeni bod y duedd nawr i gynnal ysgolion mawr, gyda mil o blant neu fwy, yn bygwth y profiadau gwerthfawr a oedd yn bosibl mewn ysgolion bach. Rwy'n cofio'r profiad o ymweld â'r ysgol a gweld y prifathro, Emyr Hywel, yn sefyll ar dop y grisiau yn taflu llygad dros yr iard a'r holl gyffyffl, yn edrych fel brenin yn rheoli, gyda'r ceir yn gwau igam ogam odano. Fe oedd y symbol o awdurdod.

Yn y Beili roedd Richard a Jill yn byw gyda thri o blant bach. Byw ar y tir oedd eu steil o fyw. Roedd brawd Richard yn perthyn i'r grŵp pop enwog, Cure, tra oedd gan Jill ddull arbennig o fagu plant. Doedden nhw ddim yn mynd i'r ysgol ond yn cael eu haddysg gartre gyda'u mam. Fe fyddai hi'n cadw'r plentyn yn ei dwylo hyd nes y byddai ef/hi yn dewis ei gwthio mas o'r ffordd. Byth yn eu gadael ar eu pennau eu hunain hyd nes y bydden nhw'n mynnu cael bod yn annibynnol. Rown i'n sylwi bod pobol fel hyn yn gallu byw mewn cytgord gyda'u cymdogion a chael eu derbyn ganddyn nhw. Rhywbeth arbennig iawn.

Yr eglwys oedd y sefydliad pwysig arall yn y pentre. Rwy'n cofio'r adeg pan own i'n sefyll y tu fas i'r eglwys a honno'n orlawn, gyda sŵn y canu yn treiddio i'r fynwent. I mi, roedd y naws yn anhygoel a'r teimlad mor gryf wrth weld y lleuad lawn yn taflu llewyrch dros y cerrig beddau. Rwy'n cofio'r profiad o fynd i'r canu cynulleidfaol a oedd yn rhywbeth mawr, mawr yn y fro. Yr un oedd y fformiwla bob tro – cydganu ac yna rhai artistiaid yn cymryd rhan. Roedd yr eglwys yn orlawn, gyda'r meinciau yn llanw'r ale. Anghofiwch reolau, gan fod pob rheol iechyd a diogelwch yn cael ei hanwybyddu. Ddwy waith y flwyddyn mae canu cynulleidfaol yn cael ei gynnal gan yr eglwys a'r pwyllgor lles. Hen draddodiadau sy'n cadw'r pentref i fynd.

Yn dilyn y gymanfa fe fyddai gwledd o fwyd yn y neuadd lle'r oedd byrddau hir wedi eu gosod ar hyd y llawr a'r ffwrwm yn rhan o'r bwrdd. Te blasus iawn gyda phlatiau yn llawn brechdanau a chaws. Y gwahoddedigion a'r crachach oedd yn cael eu digoni'n gynta, tra byddai'r werin bobol yn sefyll yn erbyn y waliau yn disgwyl yn amyneddgar am eu tro. Yna byddai'r ail shifft yn dechrau. Drwy'r cyfan, unwaith 'to, roedd y teimlad o gymdeithas mor gryf.

Profiad rhyfedd i mi oedd y drychineb pan gafodd Andrew, mab y tŷ gyferbyn, ei ladd mewn damwain ffordd. Ond yna, rhyfeddu at ymateb y gymuned glòs i'r achlysur affwysol o drist, ymateb a oedd yn hollol wahanol i'r traddodiad yn yr Iseldiroedd. Doedd dim byd fel hyn yn digwydd yno. Allwn i ddim peidio â sylwi ar y rhesi ar resi o geir y tu allan i'r tŷ. Yna'r llif o bobol oedd yn mynd a dod yn gyson o fore gwyn tan nos. Er ein bod yn teimlo'n rhan o'r gymdeithas doedd dim syniad gyda ni sut i ymateb.

Yn y diwedd fe benderfynon ni barchu'r traddodiad Cymreig drwy alw draw i estyn cydymdeimlad. Fe wnaeth y profiad argraff fawr arna i a synhwyres ddiolchgarwch y teulu am ein bod wedi gwneud ymdrech i alw. Y diwrnod hwnnw, fe ddysges fod rhannu poen yn ei haneru. Fe sylweddolon ni hefyd ei fod yn draddodiad pwysig iawn, yn tynnu cymdeithas at ei gilydd ac yn gymorth i gynnal y teulu. Wrth ailadrodd yr hanes, mae'n debyg ei fod yn gymorth i'r teulu dderbyn y gwirionedd, fel y dysges i yn ddiweddarach. Erbyn hyn rwy'n gwybod o brofiad fod hyn yn wir. Mae'n anodd sylweddoli bod pobol sydd wedi bod drwy sefyllfa debyg yn medru uniaethu gyda chi, a bod hynny'n creu rhwymyn cyfeillgarwch yn syth.

Wrth fwrw golwg yn ôl dros ein cyfnod cynta yn y pentre daw darlun o gymeriad ar ôl cymeriad yn fyw o flaen fy llygaid. Pobol garedig fel Ivy a Dewi Ffynnon Wen a fynnodd i mi blannu toriadau o'u llwyni cwrens duon yng ngardd Y Siop. Maen nhw'n dal yno o hyd ac wedi dwyn llwyth o ffrwythau bob blwyddyn, yn fy atgoffa o'u caredigrwydd a'u consýrn amdanon ni.

Roedd y Major yn byw yn y Cottage ac roen ni'n rhannu lein ffôn gydag e. Pan own i'n gwneud galwadau ffôn, roedd e'n arfer gwrando ar y sgyrsiau. Roedd tapio'r ffôn yn digwydd ym mhentre Tregroes y pryd hwnnw!

Jane a Wil Church Villa – halen y ddaear – a Daniel a oedd yn byw yn y tai cyngor. Roedd newydd ymddeol fel gyrrwr lori B.R.S. a chymaint oedd ei falchder nes iddo osod llun o'r tryc yng nghyntedd ei dŷ. Cofiaf yn glir iddo fodloni gyrru fan y waffls ar ôl i ni ddechrau'r busnes. Braidd yn betrusgar own i pan ofynnes iddo yrru'r pecynnau bach i archfarchnad Morrisons yn Wakefield, Swydd Efrog. Cyn dyddiau'r Sat Nav, fe geisies i roi cyfarwyddyd manwl iddo gan bwysleisio pob cam yn ofalus, heb sylweddoli bod yr hen law yn cael hwyl ar fy mhen. Fel gyrrwr lori profiadol doedd dim angen unrhyw ganllawiau i ddangos iddo sut oedd cyrraedd archfarchnad yng ngogledd Lloegr, gan ei fod yn gwybod am bob twll a chornel o'r Deyrnas Unedig.

Fedren ni byth gadw cathod yn Y Siop, gan eu bod bob tro yn cael eu denu at Daniel yn ei gartref yr ochor draw. Rhaid bod ei dŷ yntau'n fwy cyffyrddus a chysurus, a bwyd Daniel yn fwy moethus na'r hyn oedd ar gael yn ein cartre ni.

Rosie a Carys oedd y ddwy ferch oedd yn arfer byw yn Y Siop yn y pumdegau. Er eu bod wrth eu bodd yn dychwelyd i'r pentre fydden nhw byth yn camu dros y trothwy i'r tŷ, am nad oedden nhw am sarnu'r cof plentyn am y lle. Roedd yn rhyfedd gymaint yr oedd pobol y pentre yn glynu wrth eu gwreiddiau. Symudodd Carys i ddysgu ym Mryste ond dewisodd roi'r enw 'Tregroes' ar ei chartref yn y ddinas.

Eirwyn James, a oedd yn byw gyferbyn yn y tai cyngor, oedd plismon answyddogol y pentre, yn cadw llygad am unrhyw berson neu gerbyd amheus a ddeuai o gwmpas. Am hanner awr wedi deg bob bore, pan fydden ni'n cael toriad o'r gwaith, fe fyddai Eirwyn yn dod draw am glonc. Digon aml y cwestiwn fyddai, "Welest ti Kees y car coch 'na aeth heibio? Oedd e'n dod atoch chi? Sgwn i beth oedd ei fusnes e?" Diolch am ei gonsýrn a'i ofal dros bawb. Yn ogystal, roedd mab Dewi ac Ivy yn blismon ac yn dod, yn ei dro, ar ei feic modur. Felly roedd bywyd yn y pentre yn hollol ddiogel.

Cymeriad arall diddorol iawn yn y cwm yw Cefin Miller, sy'n dal i fyw yn ei fwthyn bach twt y tu allan i'r pentre. Fe fyddwn i'n cael sgwrs gydag e'n aml wrth seiclo i'r gwaith yn Llandysul. Athro Celf oedd e, wedi ymddeol bellach, ond un a ddioddefodd un o drasiedïau mawr bywyd pan gafodd ei ddwy ferch fach, Myfi a Megan, eu lladd mewn damwain ar y ffordd i'r ysgol. Mae pawb yn ceisio ymdopi mewn gwahanol ffyrdd, a'r hyn a wnaeth Cefin oedd mabwysiadu Catrina, sydd hefyd yn un o gymeriadau'r cwm erbyn hyn. Llo fenyw fach oedd Catrina, ar y ffordd i'r lladd-dy pan benderfynodd Cefin ei phrynu a'i magu'n dyner yn ei sied gyferbyn â'r tŷ.

Erbyn hyn mae Catrina yn fuwch ddu anferth, yn preswylio yn y sied yn y gaeaf, ond yn symud i borfa frasach ar ben y bryn yn yr haf. Fe gaiff hi bob math o faldod, gan fod Cefin yn gofalu amdani, yn ei chribo a'i brwsio bob dydd, yn rhoi eli ar ei chyrn ac yn ei bwydo gyda dwysfwyd yn cynnwys y fitaminau angenrheidiol. Pa ryfedd bod ei chot yn disgleirio fel swllt, ac, oherwydd ei dau gorn, mae'n ymdebygu fwyfwy i'r tarw o Sbaen ar botel sieri, neu i un o'r cystadleuwyr yn ras y teirw trwy bentre Pamplona yn Sbaen.

Tasg amhosib fyddai ei chaethiwo mewn lori neu hyd yn oed mewn treilar Ifor Williams. Fe allai penwast fod yn ateb wrth ei symud o Dregroes i Brengwyn ddwy waith y flwyddyn, ond pe baech yn rhoi cynnig arni (fel y gwn i), chi fyddai'n cael eich arwain neu eich llusgo dros y lôn, a mwy na thebyg dros glawdd a ffos yn ystod y broses.

Felly, pan fo'r antur fawr ar gychwyn a chi, fel fi, yn awyddus i gynnig cymorth, byddwch yn barod am bob math o ddargyfeiriadau. Fe fydd hi am wneud y gorau o'r cyfle i ddianc at grŵp o loi mewn un cae, neu neidio dros y glwyd i gae arall. Fe allaf eich sicrhau y byddwch yn siŵr o golli chwys a thipyn o bwysau pan ddaw'r antur fawr i ben. Yr hyn sy'n rhyfedd, wrth geisio ei dal ar gyfer prawf diciáu, heb gymorth ychwanegol, byddai'n dasg amhosib. Ond pan fyddai ffrindiau wedi dod i helpu, a hithau wedi sylwi, fe ddeuai'n ufudd fel oen bach.

Peth arall sy'n rhyfedd yw ei bod yn ddiweddar wedi cymryd ffansi at hwrdd sy'n digwydd bod yng nghanol y defaid yn y cae, ac mae'n ei drin fel ei llo bach ei hunan. Fe fydd yn ei anwesu, yn ei lyfu, ac yn gadael iddo gysgu yn ei breichiau, neu yn hytrach ei choesau, drwy'r nos. Gan fod ofn teirw ar y rhan fwyaf o bobol, mae un peth yn sicr, na fentrith neb i'r cae heb ganiatâd ymlaen llaw.

Pan ddes i Dregroes yn y lle cynta, roedd nifer o bobol yr ardal yn ein gweld fel grŵp o hipis a thipyn bach yn wahanol i'r arfer. O bob teulu lleol i'r pentre, teulu Rhiwlug wnaeth yr argraff fwya arna i. Roedd eu hagwedd nhw'n hollol wahanol, a'u hagwedd at fywyd yn awyr iach. "There's good and bad in everybody," oedd eu hathroniaeth bob amser. Dwy chwaer a thri brawd yn gweithio ar y fferm oedden nhw. Dyma'r cymdogion gorau posibl. Hebddyn nhw, tybed a fydden ni wedi goroesi o gwbwl? Diolch amdanyn nhw.

Sefydlodd Daffo, un o'r brodyr, berthynas agos gyda ni o'r cychwyn. Dyn yn dwlu ar geffylau oedd e ac yn hiraethu am yr hen oes pan oen nhw'n cael eu parchu ar bob fferm. Gan fod ceffyl gyda ni yn y cae roedd wrth ei fodd yn galw i'w weld. Roedd e'n grefftwr gwlad ac yn gallu troi ei law at bob math o bethau megis plethu rhaffau, cerfio llwyau pren a gwneud chwyntell o bren helyg.

Roen nhw mor hael ac mor gefnogol, bob amser yn barod i helpu. Fedrech chi ddim gadael fferm Rhiwlug heb gario potelaid o laeth, wyau, tato neu swêts. Pe bai car yn torri lawr neu angen coed tân, fe wnaen nhw unrhyw beth i'ch cael chi allan o dwll. Marged oedd y frenhines, yn rhedeg y tŷ a'r fferm, gan ofalu am y gwaith papur cyn mynd i'r farchnad yng Nghaerfyrddin bob dydd Mercher. Yno fe fyddai'n hoffi cael sgwrs gyda hen gyfeillion, prynu a gwerthu gwartheg gyda Cerdin ac Elwyn, cyn galw ar y ffordd yn ôl yn Ysbyty Glangwili, pe byddai un o'r perthnasau neu gymydog yn sâl.

Yn ystod yr wythdegau, roedd y peiriannau mwyaf modern yn Rhiwlug, a nhw oedd ar flaen y gad yn y byd amaethyddol. Fe fydden nhw'n barod i deithio tramor er mwyn dysgu am y datblygiadau amaethyddol diweddara. Unrhyw beth er mwyn datblygu a manteisio ar y syniadau newydd o hyd. Ar yr un pryd roen nhw'n parchu'r hen draddodiadau ac yn llawn doethineb cefn gwlad. Gwin sgawen fyddai'r feddyginiaeth at wella llo ac roen nhw'n dal i gredu'n gryf mewn meddyginiaeth amgen a'r defnydd o lysiau at bob dolur, megis y wermod lwyd, llysiau'r cwlwm, a'r cwmbwtsha. Saets fyddai'r ateb i ddolur gwddwg.

Roedd y cloddiau yng Nghymru yn atyniad mawr i mi. Yn fuan ar ôl cyrraedd, es i ar gwrs i ddysgu'r ffordd o blygu clawdd, ac ar ôl dysgu'r grefft rown i wrth fy modd yn ymarfer fy sgìl yn Rhiwlug. Yr arferiad oedd plygu clawdd bob rhyw ddeng mlynedd. A whare teg, fe fyddwn i bob amser yn cael cadw'r coed tân i gynhesu'r tŷ. Roedd Y Siop yn dŷ mawr ac angen llwyth o goed i gadw'r Rayburn a'r Jøtul i fynd. Rwyn cofio'n iawn un tro i ni gael sgwrs pan ddaeth Elwyn â llwyth o goed tân i'r Siop. Sonies wrtho am y rheidrwydd o brynu'r Siop os own i am aros yn yr ardal. Cyfaddefes nad own i'n gallu ei fforddio a dweud y gwir, gan mai ond newydd gychwyn y busnes yr own i. Beth yn y byd oedd yr ateb?

Roedd ymateb Elwyn yn gadarnhaol iawn a dywedodd na fyddwn yn cael fy siomi pe bawn yn gwneud y cam mawr o brynu'r adeilad. Jyst digon o anogaeth i'n helpu, i gael yr hyder angenrheidiol, i wneud y penderfyniad i wario llawer o arian er mwyn sefydlu ein hunain yn iawn ym mhentre Tregroes. Mae teulu Rhiwlug yn ddigon enwog tu allan i'r ardal, a ffermwyr dros Gymru wedi clywed am wartheg duon Cwmhyar a Birdlip.

Yn y pentre bach fe ges i brofiad o gydweithio hyfryd, a phobol yr ardal mor agos at ei gilydd. Roedd pawb yn cynorthwyo adeg cynhaeaf gwair, diwrnod cneifio, tynnu tato neu gyda'r gwaith o symud anifeiliaid o un safle i'r llall. Roedd yna draddodiad o helpu ar y fferm ac roedd wastad gwledd o fwyd. Rwy'n gwybod ei fod yn waith caled

Y Fedwen

I lawr yng nghwm Cerdin
Un bore braf, gwyn,
A Mawrth yn troi'n Ebrill
A'r ŵyn ar y bryn;
Ni welais un goeden (ni welaf, rwy'n siŵr)
Mor fyw ac mor effro,
Mor hardd yn blaguro,
Â'r fedwen fach honno yn ymyl y dŵr.

A'r haf yng nghwm Cerdin
Fel arfer ar dro,
A'r adar yn canu
A nythu'n y fro,
Ni welais un goeden (ni welaf, rwy'n siŵr)
Mor llawn o lawenydd,
A'i gwyrddail mor newydd,
Â'r fedwen aflonydd yn ymyl y dŵr.

A'r hydre'n aeddfedu
Yr eirin a'r cnau,
A'r nos yn barugo
A'r dydd yn byrhau,
Ni welais un goeden (ni welaf, rwy'n siŵr)
Mor dawel a lliwgar,
A'i heurwisg mor llachar,
Â'r fedwen fach hawddgar yn ymyl y dŵr.

A'r gaea' 'mro Cerdin
A'r meysydd yn llwm,
A'r rhewynt yn rhuo
Drwy'r coed yn y cwm,
Ni welais un goeden (ni welaf, rwy'n siŵr)
Er chwilio drwy'r hollfyd,
Mor noeth ac mor rhynllyd
Â'r fedwen ddifywyd yn ymyl y dŵr.

T. Llew Jones

NOORD-
ZEE

Texel

Amsterdam

Den Haag
Delft
● Rotterdam

●GOUDA

●STEENBERGEN

●EINDHOVEN
●STERKSEL

België / Belgique
(Gwlad Belg)

Maastricht

Deutschland (Yr Almaen)

Symud o Sterskel yn yr Iseldiroedd…

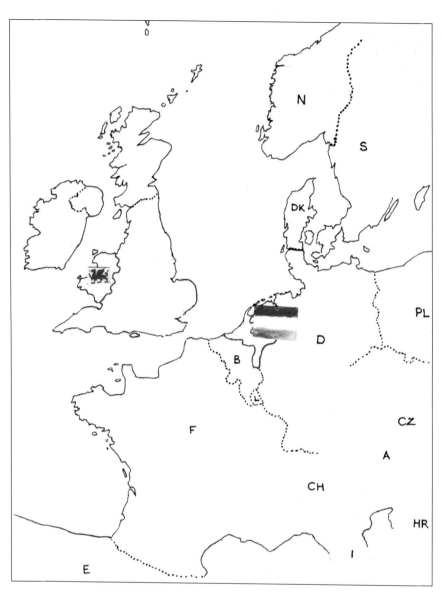

… i bentre Tregroes yng Nghymru.

Criw'r waffls y tu allan i Siop Tregroes.

Cefn Siop Tregroes.

Eglwys Tregroes.

Ysgol Gynradd Tregroes.

Rhai o gymeriadau'r pentre:

Daniel, Glyncerdin.

Shirley, y tu allan i'w chartre, The Cottage.

Nancy, Rhiwlug.

Eirwyn a Bessie James.

Ian James.

Willie George a finne, yn trafod fy hoff ganeuon.

Willie George yn edmygu poster â'i enw arno, gyda Fflur a Kyna.

John Jones (John Clocs).

Allan Shiers.

Golygfa o bentre Tregroes o fferm Rhiwlug.

Golygfa o fferm Rhiwlug o bentre Tregroes.

ac efallai ein bod yn gorliwio'r sefyllfa wrth edrych yn
ôl. Mae rhywbeth arbennig iawn mewn gweld pawb
yn helpu'i gilydd cyn cael pryd blasus o fwyd cartre i
orffen. Roedd yna deimlad o fwynhad gwirioneddol,
rhywbeth gwerthfawr iawn.

Fe fyddwn i'n sylwi'n arbennig ar y ffordd o dorri
bara ar fferm fel Rhiwlug. Fe fyddai gan Nansi dorth
feddal a hithau'n ei dal yn dynn at ei brest cyn torri'r
bara yn dafelli tenau, tenau. Yna'r menyn cartre. Bois
bach, does dim byd gwell i'w gael. Y menyn gorau yn
y byd, bron fel caws. Blas cwbwl anhygoel. Roen nhw
bob amser yn barod i'w rannu gyda'u cymdogion.
Doedd dim pob un yn y pentre yn mwynhau menyn
Rhiwlug ond roedd pawb yn gwybod ein bod yn dwlu
ar y cynnyrch. Am flynyddoedd mawr, roedd stôr dda
'da ni o'r menyn hyfryd yn y rhewgell. Doedd dim yn
cael ei wastraffu. Fe fyddai'r llaeth enwyn yn cael ei
ddefnyddio i wneud pancws, a'r gweddill i fwydo'r
mochyn.

A siarad am fochyn, roedd gyda ninne hwch yn y
cwt y tu ôl i'r Siop a phan fyddai hi'n gofyn baedd
(neu'n 'llodig' yn iaith yr ardal), fe fydden yn cael
benthyg treilar Rhiwlug i fynd â hi i fferm Troedyraur,
ger Brongest. Ar adegau fel hyn roedd hi'n amhosibl
cadw'r hwch yn y sied am ei bod hi'n mynnu torri
mas i'r hewl, a'r cymdogion yn cwyno'n ddi-baid.
Un tro, fe ddiflannodd ar hyd Lôn Pit i gyfeiriad
Maesymeillion. Wedi rhedeg ar ei hôl, fe ddes o hyd
iddi, hanner ffordd lan y rhiw. Roedd y postman wedi
parcio ei fan ar bwys y clawdd i geisio ei rhwystro, ac

wedi taflu ei sach yn ôl i'r fan. Yr eiliad nesa roedd yr hwch a'r postman yn wynebu ei gilydd ar ben y clawdd.

Rhaid cyfadde mai ffwdanus iawn fu'r tro cynta i'w chael i'r treilar. Ond ar ôl un siwrne roedd yr hen hwch brofiadol yn cerdded yn hwylus i mewn heb angen baco lan yn erbyn y wal. Dim un broblem o gwbwl gan ei bod yn mwynhau mynd i mewn i'r treilar. Mae anifeiliaid yn aml yn fwy clyfar na dynion.

Ar y pryd, roen ni'n gwerthu cig moch a phan fydden nhw'n barod i gael eu lladd, fe fydden ni'n defnyddio lladd-dy Llanwnnen, sydd wedi diflannu ers amser maith. Yn anffodus, mae'r rheolau Ewropeaidd wedi dileu nifer o ladd-dai bach cefn gwlad. Yn nes ymlaen, fe ddefnyddion ni sefydliad Oriel Jones, lladd-dy a oedd yn trin pob math o anifeiliaid. Roen ni'n cael y carcas yn ôl, gan ei werthu fel cwarter neu hanner mochyn i bobol yr ardal. Dim arian mawr, ond cyfraniad bach at incwm Y Siop.

5

SHW MAE, SHW MAE!

Y person cynta gwrddes i ar ôl cyrraedd Cymru oedd Les Bond, dyn byr gyda barf wen fawr a cheffyl gwedd. Ar y pryd roedd llawer o ddiddordeb mewn ceffylau, ond dyma'r tro cynta i mi weld ceffyl mawr. Rown i'n moyn siarad ag e am y ceffyl, ond oherwydd bod ei acen gorllewin Lloegr mor ddierth ac anghyfarwydd, rown i'n credu'n iawn ei fod yn siarad Cymraeg pan oedd e wrth gwrs yn siarad Saesneg. Dyma fy mhrofiad cynta o ddysgu ieithoedd y wlad hon.

Fy mhroblem gynta i ar ôl cyrraedd Cymru oedd dysgu Saesneg. Er 'mod i wedi treulio amser yn yr Iseldiroedd yn dysgu'r iaith am ei bod yn rhan o'r cwricwlwm, digon bratiog oedd fy ngafael i arni. Y broblem arall oedd yr acen. Down i ddim yn gyfarwydd ag acen Saesneg yr ardal ac, wrth gwrs, doedd y bobol ddim yn gyfarwydd â fy acen ddofn Iseldireg i. Fe gymerodd ddwy flynedd o leia cyn y medrwn i ddilyn newyddion Saesneg ar Radio 4. Ond ar y dechrau down i ddim yn deall y manylion o gwbwl, dim ond y penawdau bras.

Down i ddim yn cael llawer o flas ar ddysgu ieithoedd, ond yn anffodus i mi, roedd rhaid i bob plentyn yn yr Iseldiroedd ddysgu tair iaith. Gan fod yr Iseldirwyr yn ymwybodol bod eu gwlad nhw'n fach iawn, maen nhw'n sylweddoli ei bod yn hanfodol iddyn nhw ddysgu siarad ieithoedd pobol eraill os y'n nhw am ddod ymlaen yn y byd mawr. Mae'n wlad sy'n gorfod prynu a gwerthu nwyddau dros y byd ac, o ganlyniad, mae'r trigolion yn gweld bod siarad mamiaith y bobol yn rhoi mantais iddyn nhw wrth fasnachu.

I mi, roedd yn waith caled gan fy mod i'n cael cryn anhawster i ddysgu geiriau. Rown i'n mwynhau dysgu mathemateg a gwyddoniaeth lawer iawn yn fwy. Unwaith rwyf i'n dysgu rhyw ffaith wyddonol, fel sut mae'r fforc yn ffitio'r handlen, mae'n aros yn fy nghof am byth heb ddim ymdrech o gwbwl. Ond cyn dysgu geiriau neu ganeuon, mae'n rhaid i fi eu hadrodd a'u hailadrodd o leia bump neu chwech o weithiau cyn iddyn nhw ymsefydlu yn fy nghof.

Roedd yn fater o agwedd hefyd. Yn yr Iseldiroedd byddai pobol yn dadlau, hyd yn oed yn codi cweryl â'i gilydd. A dyna ddiwedd ar y cyfan, a phopeth yn ôl fel cynt. Yn y wlad hon, mae pethau mor wahanol. Fel Iseldirwr rown i'n gyfarwydd â siarad plaen, dweud fy meddwl a hyd yn oed golli tymer, heb ddisgwyl y fath ymateb. Yng Nghymru a Lloegr mae'r gair 'cwrtais' yn bwysig iawn. Ar y dechrau, down i ddim yn deall pam rown i'n digio pobol wrth siarad â nhw, ond efallai bod fy ffordd i o gyfathrebu yn rhy blwmp ac yn rhy blaen ambell waith. Rhaid i mi gyfadde 'mod i'n dal yn euog o wneud hyn ar brydiau, ond fedra i ddim newid. I mi, mae siarad plaen yn rhan hanfodol o fywyd, ond ar yr un pryd, does dim diben mewn dolurio a digio pobol wrth wneud. Fe ges i gyngor da gydag Elwyn Rhiwlug: "Os nad wyt ti'n gallu cyfrannu rhywbeth positif at y sefyllfa, dyw e ddim yn werth i ti gyfrannu o gwbwl."

Am gyfnod hir fedrwn i ddim rhegi yn Saesneg nac yn Gymraeg. Mewn unrhyw greisis byddwn i'n troi at fy iaith gynta. Nid "Diawl erio'd" neu "Myn uffern i" neu "Damn it" ond "Gatverdama". Yr hyn sylweddoles i'n glou iawn oedd bod dysgu iaith yn flinedig iawn, iawn, ac yn gofyn am lawer o ymdrech ac amynedd. Roedd hyn yn wir wrth siarad mewn grŵp, tra oedd siarad un i un yn haws. Roedd trafod drwy gyfrwng y Saesneg yn golygu mwy o ganolbwyntio, a llawer o gamddeall a cholli amser.

Diddorol iawn oedd sefyllfa'r Eidalwyr a ddaeth i'r ardal yn ystod yr Ail Ryfel Byd, fel carcharorion rhyfel i ddechrau. Fe benderfynodd y rhan fwyaf aros yng Nghymru yn hytrach na dychwelyd i'r Eidal. Eidaleg oedd eu hiaith gynta, Cymraeg yn ail iaith a Saesneg yn drydedd. Roen nhw'n cadw at eu ffordd Eidaleg o fyw, gyda'r gwragedd yn gwneud caws parmesan a salami, sef selsig yr Eidal. Fe fydden nhw'n cwrdd bob dydd Gwener mewn rhyw gornel ym mart Castellnewydd Emlyn, gan drafod digwyddiadau'r wythnos gyda'i gilydd mewn Eidaleg. Mae nifer o'u disgynyddion wedi aros yn yr ardal ac wedi llwyddo i sefydlu busnesau llwyddiannus iawn megis bwyty La Calabria ger Maesllyn. Ar yr un pryd, maen nhw'n dal i ddefnyddio'r Eidaleg ac yn siarad Cymraeg graenus yn ogystal.

Rown i'n benderfynol o'r dechrau fy mod i am ddysgu Cymraeg go iawn, sef iaith y wlad. Yn yr un ffordd ag yr own i'n disgwyl i bobol a oedd yn symud i'r Iseldiroedd wneud ymdrech i ddysgu Iseldireg, roedd yn ddyletswydd arna i felly i ddysgu Cymraeg. Yr hyn y sylwes i arno yn syth oedd bod y Cymry fel cenedl yn llawer mwy hamddenol a chroesawgar o ran natur. I rywun oedd am ddysgu'r iaith, fel fi, roedd hyn yn anfantais fawr. Y funud yr oedd rhywun yn sylweddoli eich bod yn siarad Saesneg, fydden nhw'n stopo siarad Cymraeg yn syth. Doedd dim gobaith caneri dysgu Cymraeg yn y fath sefyllfa. Wrth geisio bod yn groesawgar a pholéit, doen nhw'n helpu dim.

Y rhai a fu o gymorth i fi oedd tair gwraig ac un gŵr yn y dosbarth CYD (Cymdeithas y Dysgwyr) yng Nghastellnewydd Emlyn. Fe wnaeth Nansi, Morwena, Beti Rhydfach a Ken Jones ymdrech dda i siarad Cymraeg gyda fi. Rown i'n cael cymaint o sbri wrth geisio trafod pob math o bethau rhyw unwaith yr wythnos. Rhywbeth llawer mwy deinamig na dulliau'r cyrsiau iaith swyddogol.

Roedd ceisio dysgu Cymraeg yn y Dosbarth Nos Wlpan yn hollol drychinebus i fi. Beth oedd pwynt dysgu term fel "Nosweth dda" neu "Sut dach chi?" pan oedd pawb yn y gymdeithas yn Nhregroes yn eich cyfarch gyda "Shw mae / Shwt y'ch chi?" Pa ryfedd mod i'n casáu'r cwrs? Fe ddechreues yn yr hydref. Roedd chwech o Saeson wedi ymuno ar y dechrau, ond erbyn y tymor canlynol roen nhw wedi gadael. Yna fe ddeuai gwyliau hanner tymor i dorri ar y patrwm. Erbyn ailddechrau, byddai pawb wedi anghofio a'r momentwm wedi diflannu. 'Nôl i sgwâr un bob tro. Yna ailddechrau dysgu. Cyn hir fe fyddai gwyliau unwaith 'to, a 'nôl i'r dechrau unwaith 'to. Yr un stori o hyd ac o hyd. Erbyn gwyliau'r haf, wrth gwrs, byddai'r cwrs yn gorffen dros dro, a finne heb symud ymlaen o gwbwl. Problem arall oedd bod rhaid symud ar gyflymder yr arafa yn y grŵp. Teimlad rhwystredig iawn i fi oedd am ddysgu'r iaith cyn gynted â phosib.

Ymhen tipyn rown i wedi dechrau datblygu busnes. Pan es i ar gwrs ar sefydlu a datblygu busnes gyda dau gynghorwr busnes, sef John Jones (John Clocs) a Peter Bowen, wnes i gwyno am broblem dysgu'r iaith wrth John. Fe sonies i mor barod oedd pawb i droi i'r Saesneg, ac mor awyddus rown i i ddysgu iaith bob dydd y gymdeithas, nid yr iaith academaidd rown i'n ei dysgu ar y cyrsiau. Cyngor gwerthfawr John oedd y dylwn i ymuno â chôr lleol. Ar y pryd wyddwn i ddim a fedrwn i ganu o gwbwl. Yr unig brofiad o ganu oedd 'da fi oedd bod yn rhan o gôr plant yn yr eglwys yn yr Iseldiroedd.

Mentro wnes i, ac ymuno â Chôr Gwynionnydd, côr lleol dan arweiniad Carol Davies, gyda gorchymyn chwyrn i bob un beidio â siarad gair o Saesneg 'da fi. "Don't speak English." Dychmygwch y problemau – ffaelu troi lan i'r ymarfer ar yr amser iawn. Carol yn rhoi gorchymyn i ganu'n dawel a finne'n canu nerth fy mhen. Fues i ddim yn hir cyn dysgu ystyr y gair 'tawel', wrth gwrs. Roedd y profiad o ganu mewn côr yn werthfawr iawn, iawn. Yr un fyddai'r geiriau yn y caneuon, a'r ailadrodd wrth ganu yn gymorth i ddysgu'r ystyron. Peth arall oedd yn gymorth wrth ganu yn y côr fyddai'r teimlad y tu ôl i'r geiriau, heb sôn am y profiad o gymdeithasu bob amser drwy gyfrwng y Gymraeg.

Ar y dechrau, doedd dim llawer o gymdeithasu oherwydd y broblem iaith, ac efallai bod y bois eraill yn meddwl pwy oedd y boi od yma oedd yn dewis ymuno â chôr meibion Cymraeg, heb fod â llawer o grap ar iaith y nefoedd. Ond yn ara bach fe ges i fy nerbyn fel aelod ac fe wellodd fy nealltwriaeth a fy nefnydd o'r iaith. Yr unig ffordd rwy wedi gallu dysgu Cymraeg yw drwy ymdrochi'n llwyr ynddi.

Rhywbeth arall y sylwes i wrth geisio dysgu'r iaith oedd ei bod yn anodd newid patrwm siarad ar ôl iddo ymsefydlu. Roedd rhaid i fi ddechrau siarad â Marged Rhiwlug drwy gyfrwng y Saesneg ac roedd hi'n anodd iawn wedyn dechrau'r sgwrs yn Gymraeg. Roedd sgwrsio gyda pherson fel Mr Arwyn Pierce, pennaeth yr ysgol uwchradd leol, yn hollol wahanol. Roedd yn eistedd wrth fy ymyl i yn y côr a doen ni heb siarad â'n gilydd yn Saesneg o gwbwl gan mai ei gyfarch e yn Gymraeg y gwnes i'r tro cynta y siarades i ag e.

Problem arall gyda'r Cymry lleol yw eu bod yn rhy gwrtais i ddefnyddio'r Gymraeg ac yn credu eu bod yn eich helpu a'ch plesio drwy siarad Saesneg. Rhywbeth arall sy'n bwysig yw peidio â hidio dim am wneud camgymeriadau wrth ddysgu'r iaith, fel y gwnes i gymaint o weithiau.

Wrth edrych yn ôl, mae'n siŵr bod y busnes wedi bod o help i ddysgu'r iaith. Fel mae'r slogan yn datgan "Dechreuwch bob sgwrs yn Gymraeg", dyna'n union wnes i. Wrth weithio ar y stondin ym marchnad Caerfyrddin, dechrau gyda "Bore da" a siarad am y tywydd, ac yn ara bach, symud ymlaen i ddysgu geiriau newydd ac ymestyn y drafodaeth. Rhai cwsmeriaid yn fy helpu i ddysgu'r iaith, rhai yn newid i'r Saesneg cyn gynted ag yr oen nhw'n clywed un camgymeriad neu'r acen wahanol. Beth bynnag, achubes ar bob cyfle i ddysgu.

Pan aethon ni i farchnad Porthaethwy yn Sir Fôn a chlywed iaith ac acen y gogledd am y tro cynta, ddealles i ddim un gair, dim un. Rown i'n cynnig waffls 'twym', a hwythau am rai 'cynnes'. Roedd marchnad Machynlleth yn werthfawr iawn. Fe fyddai'r merched y tu ôl i'r stondin yn serchog ac yn fy nghyfarch yn Gymraeg bob tro. Doen nhw ddim yn sylweddoli na fedrwn i ond ychydig iawn o ymadroddion fel "Shw mae" a "Mae'n bwrw glaw heddi". Roedd yr ymdrech i siarad ein hiaith yn helpu'r busnes. Fe ddeuen nhw'n ôl, nid yn unig i brynu'r cynnyrch, ond i weld sut roedd fy Nghymraeg i'n datblygu, yn union yr un fath ag yn y farchnad yng Nghaerfyrddin. Rown i'n gwneud ymdrech i ymestyn y sgwrs bob tro. Anodd iawn, ond yn werthfawr tu hwnt yr un pryd.

'Nôl yn yr Iseldiroedd, Iseldireg oedd yr iaith wrth gwrs. Rown i wedi cael peth profiad o ddysgu

Iseldireg i dramorwyr a fyddai'n dod fel 'guest workers' (gweithwyr dros dro) o wledydd fel Twrci a Gogledd Affrig. Fe fydden nhw'n barod iawn i wneud gwaith na fyddai'r brodorion yn awyddus i'w wneud. Dyma bobol oedd yn masnachu, ond eto yn falch o'u hunaniaeth. Mae'n bwysig fod pob cenedl yn cadw'r cydbwysedd rhwng bod yn aelod o'r gymdeithas newydd a chadw'i hunaniaeth ar yr un pryd.

Cyfnod anodd iawn i fi o safbwynt yr iaith oedd yr un pan ges i fy ethol ar gorff y llywodraethwyr yn Ysgol Tregroes. Cofiwch bod siarad mewn grŵp yn heriol iawn. Fe fyddai'r grŵp yn cwrdd bob wythnos a bois bach roedd yn anodd deall y dogfennau cymhleth a oedd yn dod o'r Sir. Roedd rhaid i fi baratoi am oriau i'w darllen a cheisio'u deall. Roedd hwnnw'n un peth ond roedd cyfrannu i'r sgyrsiau yn rhywbeth arall. Mae'n bwysig fod y naws yn gefnogol ond nid i'r graddau fod pobol yn newid yr iaith er fy mwyn i.

Diddorol iawn oedd y profiad o godi'r ddwy ferch ym mhentre Tregroes. Iseldireg yn unig oedd Ans a finne'n siarad yn y tŷ a dyna'r unig iaith roen nhw'n gyfarwydd â hi. Doen nhw ddim yn clywed llawer o Saesneg. Roedd y profiad a gafodd Kyna, y ferch leia, yn dangos mor bwysig i blentyn yw iaith y fam. Digon swil oedd hi, ac amharod i siarad o gwbwl.

Ond un diwrnod daeth ffrind heibio, Saesnes, ond bod ei sboner ar un adeg yn Iseldirwr, ac o ganlyniad wedi dysgu rhai brawddegau Iseldireg. Pan ddaeth Mary i'r tŷ a dechrau siarad Iseldireg, yn syth fe oleuodd llygaid Kyna, neidio i'w chôl, a dechrau cyfathrebu â hi. Roedd yn amlwg bod y famiaith wedi bod yn gymorth i'r plentyn bach sefydlu perthynas yn syth.

Pan ddaeth yn adeg i Fflur, yr hyna, ddechrau'r ysgol, roedd Ans yn poeni na fyddai hi'n medru meistroli'r Saesneg. Pwyslais ar y Gymraeg oedd gan Emyr Hywel, prifathro Tregroes, felly penderfynodd hi ei danfon i grŵp chwarae yng Nghapel Dewi a oedd yn cael ei redeg trwy gyfrwng y Saesneg. Doedd dim angen i ni boeni. Ar ôl tri mis yn Ysgol Tregroes roedd Fflur yn hollol rugl yn y Gymraeg, yr Iseldireg a'r Saesneg.

Mae plant mor agored i dderbyn y broses o ddysgu ieithoedd, ac yn meddu ar y sgiliau angenrheidiol i wneud hynny heb lawer o ymdrech. O ganlyniad, fe ddylai pobol sy'n ymwneud ag addysg, yn ogystal â rhieni, fanteisio ar y gallu hwn i ddysgu ieithoedd, rhywbeth gwerthfawr iawn i'r plant. Cyn gynted â'u bod nhw'n ddwyieithog, mae'n llawer haws iddyn nhw ddysgu iaith arall pan fo'r cyfle ar gael. Heddiw, diolch byth, rwy'n medru siarad Cymraeg yn rhugl yn y gwaith a gyda phobol yr ardal, ond fe alla i gyfadde trwy brofiad ei bod yn broses heriol, hir a phoenus. Ond heb boen, does dim elw!

6

SŴN Y GÂN

Fel yr eglures yn barod, rown i'n arfer canu yn yr Iseldiroedd fel soprano yng nghôr yr eglwys – côr i fechgyn a dynion yn unig. Byddai ymarferion bob wythnos, ac mae 'da fi atgofion byw o un Nadolig pan own i'n canu gyda'r bechgyn eraill lan ar falconi twym. Yn brin o ocsigen rown i bron â llewygu ac yn falch o fynd am awyr iach tu fas. Rwy'n cofio'r hapusrwydd o gael colli amser ysgol er mwyn canu 'Ave Maria' gyda'r bechgyn eraill mewn rhyw briodas yn yr eglwys. Unrhyw esgus i gael amser bant o'r ysgol, fel pob plentyn normal.

Roedd tipyn o gerddoriaeth yn y teulu – Mam gyda'i llais dwfn yn canu gyda'r bechgyn yn y côr, fy chwaer hyna'n chwarae'r trwmped, tra bod fy chwaer iau yn arwain côr. Roedd fy mrawd yn fedrus iawn ar y gitâr, er nad yw'n chwarae llawer erbyn hyn. Ym mhob parti teulu fe fyddai 'nhad-cu yn canu'r baledi trist a oedd yn nodweddiadol o'r Iseldiroedd. Wrth reswm, roedd y rhan fwya'n ymdrin â'r môr, caneuon yn sôn am feibion yn gadael, a'r mamau'n ffarwelio â nhw ar y traeth, baledi yn llawn drama. Doedd dim cyfle i ganu yn y gwersi cerddoriaeth yn yr ysgol gan fod yr athro am gadw'n dawel er mwyn cadw'i lais ar gyfer perfformio yn nes ymlaen yn y nos. Wrth gwrs doedd hi ddim yn cŵl i ganu yn ystod fy arddegau yn yr Iseldiroedd. Felly rown i heb addysg gerddorol na dim llawer o gyfle i ganu o gwbwl yn fy ngwlad enedigol.

Wedyn, dyma gyrraedd Tregroes yn nyffryn Cerdin, ac o dan anogaeth John Jones (John Clocs), fe ymunes i â Chôr Gwynionnydd. Y prif reswm oedd nid i ganu ond er mwyn dysgu Cymraeg, gan fod mynychu'r dosbarth nos wedi profi'n drychineb. Dechreues ganu gyda'r ail denoriaid, yna troi at y baswyr top, ond roedd hynny'n rhy uchel i'm llais i.

Roedd Garnon, tad Ryland Teifi (Siop Ffostrasol), yn fy annog o'r dechrau i gael gwersi canu am ei fod yn teimlo bod gyda fi lais da. Ar y pryd roedd hynny'n amhosib. Fedrwn i ddim fforddio'r amser na'r arian, gan ei bod yn llawer pwysicach i gadw to uwch ben y teulu a bwyd ar y ford. Roedd yn gyfnod pan oedd hi'n ymdrech go iawn i gadw'r rheolwr banc yn hapus. Yn raddol, yn anffodus, daeth y côr i ben.

Willie George, is-arweinydd Côr Gwynionnydd a cherddor dawnus, oedd yr athro cynta a geisiodd ddysgu i mi ganu. Dyn bach o gorff ond cawr o ran ei bersonoliaeth a'i allu cerddorol, yn llawn hwyl a jôcs, yn hoff o adrodd rhai o'r profiadau roedd wedi eu cael ar hyd taith bywyd. Y fath hwyl yn ei gwmni. Roedd e'n ganwr enwog ei hunan ac yn nhafarn y Nag's Head yn Abercych fe welwch chi boster yn dyddio'n ôl i 1942 yn hysbysebu Cyngerdd Mawreddog lle'r oedd e fel canwr bariton yn un o'r artistiaid. Roedd yn gymeriad mawr, a'i hwyl a'i jôcs yn bywhau'r ymarferion. Roedd ganddo organ drydan fach. Gan ei fod yn deall y grefft o ganu a thrin y llais, ceisiodd egluro i mi y dylwn i geisio cynhyrchu'r llais yn uchel yn y pen, nid yn ddwfn yn y gwddwg. Wrth geisio deall a dilyn ei awgrymiadau, sylweddoles 'mod i'n gwella'n raddol o dan ei gyfarwyddyd. Roedd Willie George yn ei 80au ac roedd yr hyfforddi yn mynd yn waith blinedig iddo, ac awgrymodd fy mod yn mynd at Carol Davies. Dan ei harweiniad hi, fe ddechreues i ganu darnau gan Mozart, gan gynnwys yr aria 'Non Più Andrai' – darn heriol iawn.

Wrth fynd yn hŷn roedd Willie George wrth ei fodd yn gwrando ar gân o eiddo Schumann, 'Ich Grolle Nicht.' Cynnwys y gân yn syml yw peidio cwyno, ac ar ddiwedd oes ei bod yn bwysig derbyn trefn bywyd heb rwgnach, heb wrthryfela, cymryd bywyd fel mae'n dod, diolch ei fod wedi bod cystal, a derbyn yr anochel. Ces y fraint o'i chanu ar ddiwrnod ei angladd. Rwy'n cofio fel ddoe y profiad anodd o ganu yn ei angladd yng nghapel Horeb. Braint ryfeddol i'r bachgen o'r Iseldiroedd, a gobeithio fy mod wedi cyfrannu at naws y gwasanaeth ac atgofion y teulu.

Ymhen blynyddoedd ar ôl hyn, rown i'n cystadlu ar yr Unawd Bas yn yr Eisteddfod Genedlaethol. Rhaid cyfadde 'mod i wedi fy siomi ar ôl un rhagbrawf, ac i raddau, wedi pwdu. Rown i am gystadlu ar y Gân Gelf ac wedi cael cyngor i ganu'r gân arbennig 'Ich Grolle Nicht.' Bois bach, dyma'r union gân oedd yn cyfleu ac yn disgrifio fy nheimladau i'n berffaith, gydag Eurwen, merch Willie George, yn bresennol yn y gynulleidfa. Er nad oedd hon yn gân heriol yn dechnegol, o fedru cyfleu naws ac emosiwn addas i'r achlysur fe allai godi lefel y perfformiad. A beth ddigwyddodd? Wel, fe enilles i! Ond ar yr un pryd fe ddysges i mai un o'r gwersi pwysicaf wrth gystadlu yw dysgu sut i golli. Dyma wers bwysig ar gyfer bywyd hefyd.

Erbyn i Gôr Gwynionnydd ddod i ben, rown i wedi dechrau cael blas ar ganu, efallai am 'mod i'n gweld y broses yn un gymhleth. Wrth ganu mae'n rhaid i chi roi cant y cant. Wrth gerdded, neu wrth arddio, fe allwch feddwl am bethau eraill sy'n mynd ymlaen yn eich bywyd. Ond mae canu yn golygu eich bod yn gorfod canolbwyntio yn gyfan gwbwl ar gymaint o wahanol bethau ar yr un pryd – y sain, yr anadlu, yr osgo, yn ogystal â lliwio'r stori. Yn ychwanegol, rhaid i chi gysylltu gyda'ch cynulleidfa. Cymaint o bethau i feddwl amdanyn nhw ar yr un pryd. Cymaint o ymdrech.

Rhaid rhoi cant y cant i'r symudiadau hefyd neu mae peryg syrthio dros ochr y llwyfan. A bob tro r'ych chi'n canu, rhaid penderfynu gwella ar y perfformiad. Mae'n bosibl gwella o hyd ac o hyd, yn union fel y teimla'r arlunydd neu unrhyw artist arall. Mae'n rhyfedd iawn, er fy mod i'n blino cymaint wrth ganu, eto i gyd, wrth gyflwyno'r gân, rwy'n teimlo fel boi newydd sbon a'r blinder i gyd yn diflannu, fel pe bawn i newydd ddod mas o'r gawod. Rhaid ymlacio, ond eto mewn ffordd ddisgybledig rywsut. Anodd esbonio ond mae'n rhoi cymaint o fwynhad. Cymaint! Fe ges i wir flas ar ganu, ac ar ôl i Gôr Gwynionnydd ddod i ben, rown i'n gweld eisiau'r profiad a'r cwmni. Ymunodd rhai o'r bechgyn gyda Chôr Blaenporth, ac aeth rhai o'r lleill at Gôr Cwmann. A dyna wnes i.

Arthur Roderick oedd cadeirydd y côr ar y pryd ac fe fyddai'n rhoi gair o groeso i bob un o'r bechgyn newydd. Dywedodd wrtha i am sylwi ar wynebau'r bechgyn a gweld cymaint oedd y pleser a'r mwynhad o fod yn y côr. Pwysleisiodd mai arna i byddai'r bai pe na bawn i'n cael yr un pleser o fod yn eu cwmni. Mor wir y geiriau.

Pleser pur oedd cael cwmni Jimmy (Evans), aelod arall o'r côr, ar y daith bob wythnos i Lambed. Roedd yn berson mor arbennig ac wedi cael bywyd hynod ddiddorol. Yn wreiddiol o Groeslan, roedd wedi treulio dros ddeugain mlynedd yn gweithio fel peiriannydd sifil i'r llywodraeth yn Ne'r Affrig. Wedi colli ei wraig, fe ddychwelodd i gartref ei fam yn Llandysul, er bod ei fab a'i ferch yn dal i fyw yn Ne'r Affrig. Dyma foi eithriadol o glyfar a dawnus, yn llawn mentergarwch. Dan gyfarwyddyd Allan Shiers, y dyn telynau o Landysul, roedd wedi llwyddo i wneud dwy delyn, un yr un i'w blant, yn ogystal â llunio tsiaen allan o un darn o bren. Fe ges i brofiad diddorol yn seiclo yn ei gwmni, yr holl ffordd o Lynnoedd Teifi, gan ddilyn cwrs yr afon i Gwbert. Roedd yn Gymro i'r carn, a thrist iawn oedd ei weld yn colli ei gof.

Elwyn Davies oedd arweinydd y côr, boi hynod o gerddorol. Ar y pryd roedd gyda nhw gytundeb gyda chwmni gwyliau Saga i ganu bob wythnos i ddiddanu criwiau o bobol hŷn oedd yn dod i'r coleg yn Llambed am wyliau yn ystod yr haf. Yn y côr roedd canwr arall o'r enw Alec, y postman, a oedd yn berchen ar lais hyfryd a phob amser yn canu 'Bugeilio'r Gwenith Gwyn'. Fe ofynnodd Arthur a oedd gyda fi eitem i ddiddanu'r bobol, a beth am ganu 'If I Were a Rich Man' (allan o *Fiddler on the Roof*), a hynny bob wythnos?

Bois bach, y tro cynta i mi ganu ar fy mhen fy hun rown i mor nerfus, yn chwysu'n stecs, a'm pengliniau'n cnocio yn erbyn ei gilydd. Fel hyn yr own i ar y dechrau, yn rhy ofnus ac yn rhy nerfus. Fel pob crefft, mae'n rhaid dysgu sgiliau, ac fe fu'n gymorth mawr i fi gael cyfle i ganu'r un gân bob wythnos, wyth gwaith dros yr haf. Yn ystod y profiad o ganu fel hyn, roedd yn rhoi'r cyfle i mi ddysgu beth oedd yn gweithio. Fe sylweddoles ei bod hi mor bwysig eich bod chi'ch hunan yn ymlacio ac yn mwynhau wrth ganu neu, fel arall, fe fydd y gynulleidfa yn teimlo'r tensiwn yn y perfformiad.

Yn ara bach roedd pethau'n gwella, ond nid bob tro. Cyfnod gwerthfawr iawn mewn gwirionedd. Fe sylweddoles fod y corff yn ymddwyn yn wahanol iawn wrth berfformio i'r adeg pan fyddwch yn ymarfer yn niogelwch y cartre, neu yn stafell gerddoriaeth yr athro.

Flynyddoedd yn ddiweddarach, rwy'n cofio canu yn Eisteddfod Glyn Ebwy mewn adeilad concrit. Y gân oedd 'Craig yr Oesoedd'. Rhian Davies ac

Alun Guy oedd y beirniaid yn y rhagbrawf ond, yn anffodus, roen nhw'n eistedd mor agos nes gallu gweld reit i fyny 'nhrwyn i. Fe golles i 'ngallu i ganolbwyntio. Rown i'n meddwl bod yr holl sefyllfa braidd yn artiffisial ac efallai nad own i'n teimlo digon o adrenalin ar y pryd. Go wahanol i'r tro cynta pan ganes i yn y coleg yn Llambed i'r bobol oedd ar eu gwyliau yn ystod yr haf. Beth bynnag, fe lwyddes i ennill y gystadleuaeth Unawd yr Hen Ganiadau. Fel pob crefft arall, rhaid dysgu'r grefft o ganu yn iawn. Rhaid ymlacio, setlo lawr a mireinio pob elfen o'r grefft er mwyn cael llwyddiant a meistrolaeth lwyr arni.

Ar ôl rhai blynyddoedd, tua 1997, gyda rhywfaint o sicrwydd ariannol, fe benderfynes ofyn i ddau o Lanfarian, Ken a Christine Reynolds, roi hyfforddiant canu i mi. Roedd Ken o Wrecsam wedi bod yn ganwr bariton proffesiynol dros y byd i gyd, gyda chlust arbennig o dda (ond heb fod yn siarad Cymraeg) a Christine hithau yn bianydd ardderchog.

Roedd y wers gynta yn anhygoel. Rown i'n methu credu 'mod i'n treulio chwarter awr ar un frawddeg gerddorol, a chael mwy o syndod byth wrth weld y gwahaniaeth yn safon y canu ar y diwedd. Y symud o fod yn wael i fod yn weddol ac yna i fod yn wirioneddol dda. Mae'n anodd iawn credu'r fath beth. Bob tro, bob gwers dan eu hyfforddiant, rown i'n medru creu sŵn a llais newydd, gwahanol, gwell. Fe eglurodd y ddau bod yn rhaid edrych ar ôl y llais yn ofalus, gan ei fod yn dibynnu'n llwyr ar ddau gyhyr bach yn y gwddwg. Mae'n bosib eu sarnu'n llwyr, fel sydd wedi digwydd i rai cantorion enwog.

Mae perthynas arbennig rhwng yr athro a'r disgybl wrth ganu, ac mae'n hawdd iawn tramgwyddo. Rwy'n gallu gweld bod Christine a Ken ambell waith yn ei chael hi'n anodd i gadw'r cydbwysedd rhwng beirniadu a chefnogi, a rhwng rhwystredigaeth a gobaith. Mae'n llawer haws dysgu canu'r piano. Naill ai fe fyddwch wedi ymarfer digon ac yn gweld cynnydd, neu heb wneud dim ac, o ganlyniad, dim byd yn gwella. Mae'n cymryd llawer mwy o amser ac ymdrech i bobol newid eu ffordd o ddefnyddio'r cyhyrau. Ar ôl gwneud yr holl ymdrech, ond heb weld dim gwelliant, mae'n gallu bod yn deimlad rhwystredig iawn.

I ddechrau, rhaid meistroli'r elfennau technegol, fel canolbwyntio ar sut i anadlu a chael y traw yn gywir. Rhaid cael yr ochr dechnegol yn iawn cyn dechrau'r ochor artistig, a sylweddoli mor bwysig yw ystyr y geiriau, y naws, yr ochor emosiynol a'r teimladau y tu ôl i'r brawddegau. Roedd Ken yn tynnu 'nghoes i ambell waith ac yn fy nghyhuddo i o fod yn ddramatig, neu'n or-ddramatig ar brydiau. Eglurodd yn syml fod mynd dros ben llestri yn gallu bod yn ffars llwyr, a bod angen osgoi hynny.

Dwi ddim gant y cant yn siŵr bod canu yn rhywbeth ar gyfer cystadleuaeth, er fy mod i'n bersonol yn mwynhau cystadlu, heb hidio dim am y beirniaid. Mae pwy bynnag sy'n cyfeilio yn bwysicach o lawer. Gyda chyfeilydd da fe allwch chi gael y rhyddid i ganu a dehongli fel y'ch chi'n dewis. Pan mae'r cyfeilydd yn glynu wrth y gerddoriaeth, fedrwch chi newid dim ac mae'n anodd dehongli'r ystyr. Mae'n dal yn syndod i mi pan mae pethau'n mynd yn hollol go chwith wrth berfformio ar y llwyfan, er eich bod yn teimlo'n hyderus, ac wedi ymarfer digon cyn hynny. Yn ôl Syr Geraint Evans yn ei hunangofiant fydde fe byth yn hapus cyn perfformio ddwsin o weithiau o flaen cynulleidfa. Cyn wynebu canu ar lwyfan, mae gofyn i chi fod yn medru perfformio ddeg waith yn well na chynt.

Cwestiwn sy'n cael ei ofyn i fi'n aml yw pa rai yw fy hoff ganeuon, cwestiwn sy'n anodd iawn i'w ateb, gan fod pob cân yn gysylltiedig â rhyw brofiad personol arbennig. Mae'n dibynnu'n gwmws ar yr adloniant neu'r amgylchiadau ar y pryd, er enghraifft, pan oedd Côr Cwmann yn ymarfer ar gyfer cymeryd rhan yn y gyngerdd mil o leisiau yn Neuadd Albert, Alwyn Humphreys oedd yn arwain. Wrth ganu 'The Stout Heart of Man' fe sylwes fod ei ddehongliad mor newydd, mor ffres, fel ei fod wedi llwyddo i'n cael ni i greu rhywbeth sbesial, hudol ac arbennig dan ei arweiniad. Mae pob cân sy'n bwysig i fi yn dal rhyw gysylltiad â fy mywyd. Amhosibl yw penderfynu pa un sydd orau. Yn gyffredinol, gorau i gyd po fwyaf lleddf yw'r gân.

Un o fy hoff ganeuon yw 'Y Dymestl' gan R. S. Hughes, cyfansoddwr operatig o Gymru a oedd yn byw yn yr un cyfnod â Verdi, y cyfansoddwr enwog o'r Eidal. Yn fy marn i mae'r cyfansoddwr o Gymro cystal cyfansoddwr â'r Eidalwr. Mae 'Y Dymestl' yn glasur o gân, yn disgrifio'r gwahanol sŵn sy'n effeithio ar y byd. Fe glywch y gwynt yn grac ac yn stormus, ac yna'n tawelu mewn ffordd mor grefftus. Mae mor hawdd newid y naws a dehongli'r stori. Mae'r gerddoriaeth yn llawn mynegiant, a'r naws yn newid mor effeithiol, fel mai'r unig beth sydd eisiau ei wneud yw dilyn y cyfarwyddiadau a'r geiriau. Y tro cynta i mi ei chanu oedd mewn cyngerdd yn Llanwrtyd. Dai Jones, Llanilar oedd yn arwain, a'r hyn ddywedodd e oedd, "Jiw, jiw, meddyliwch, bachgen o'r Iseldiroedd yn canu 'Y Dymestl' yn Gymraeg."

Yn nes ymlaen fe enilles i yn yr Eisteddfod Genedlaethol ar y gân hon yn y gystadleuaeth Unawd yr Hen Ganiadau. Rown i'n teimlo'n falch ac yn bles iawn. Ar y pryd, fe gofies i eiriau Dai Llanilar yn Llanwrtyd. Sgwn i beth oedd ei ymateb pan glywodd e fod y bachgen o'r Iseldiroedd wedi ennill yn erbyn y Cymro pur? Grêt!

Rwyf i mor falch fy mod wedi cael y profiad cyfoethog o glywed emynau'n cael eu canu mewn harmoni yn ein capeli ac eglwysi. Mae hyn wedi rhoi cymaint o wefr i mi ar hyd y blynyddoedd. Ymhlith fy hoff emynau yn sicr mae trefniant cerddorol o 'Coedmor' a 'Gwahoddiad', sy'n enwog dros y byd. Ffefryn arall yw'r dôn 'Llef'. Mae'r emynau hyn, fel fy hoff ganeuon, yn gysylltiedig gyda rhai profiadau arbennig. Rwy'n cofio'n iawn bod mewn cymanfa ganu yng Nghapel Bwlchygroes yn canu bas gyda'r Parch. Chris Bolton a John Evans, Rampant Lion. Tri bas yn unig, ond yn bendant yn llwyddo i ddal ein tir yn erbyn yr holl gantorion eraill, a'r sain gwefreiddiol yn codi'r to.

Y tro cynta i mi ganu yn yr Eisteddfod Genedlaethol oedd yn y Bala, 1997, a'r gystadleuaeth oedd y Gân Gelf. Y gân oedd 'Neb ond y Sawl a Ŵyr,' gan Tchaikovsky. Roedd y tywydd yn ferwedig o dwym a bois bach, roedd cymaint o adrenalin yn llifo. Roedd fy mhengliniau'n siglo fel pe bawn i'n wynebu'r Barnwr Bywyd. Dwy ferch ifanc, gyfeillgar oedd yn beirniadu a whare teg iddyn nhw, eu sylw caredig oedd, "Llais da, addawol iawn." Ar y pryd fe geisies i ganolbwyntio'n llwyr ar yr anadlu a'r elfennau technegol fel y traw, heb sylweddoli pa mor bwysig oedd ystyr y geiriau a chreu'r naws sy'n cydweddu â'r gân.

Un peth arbennig o dda am yr Eisteddfod Genedlaethol, yn fy meddwl i, yw ei bod yn rhoi cyfle i unrhyw un sy'n awyddus i ganu gael cyfle i wneud. Does dim ots eich bod yn cychwyn ar eich gyrfa gerddorol neu bron â bod ar lefel broffesiynol. Fyddwch chi byth yn gwybod pwy fydd yn cystadlu yn eich erbyn. Wrth barhau i gystadlu fe ddechreues gael rhyw lwyddiannau bach, bach, bob yn dipyn. Roedd cyfle i gwrdd â phob math o bobol, y rhan fwyaf yn gyfeillgar iawn. Wrth gwrs r'yn ni i gyd yn meddwl mai ni yw'r gore. Ambell dro fe fydd y beirniad yn cytuno.

Ar y cyfan mae'r byd eisteddfodol yn fyd cyfeillgar, gyda'r rhan fwyaf o bobol yn bositif ac yn gefnogol. Ambell waith mae'r beirniad yn dweud pethau cas ond mae'n bwysig bod eich croen yn ddigon tew i dderbyn beirniadaeth. Mae'n bwysig hefyd eich bod yn gwybod yr hyn r'ych chi'n ceisio ei wneud. Yr un pryd, chi'n gadael eich hunan yn agored i feirniadaeth wrth gystadlu, ac mae'n gallu bod yn brofiad poenus. Rhaid cofio mai barn un person yw e wedi'r cyfan. Nid ras yw canu mewn eisteddfod, lle bydd y wobr i'r person cynta sy'n croesi'r lein, ond yn hytrach rhywbeth personol, ac mae barn y beirniad yn gallu dibynnu ar chwaeth bersonol. Cofiwch, nid yr ennill a'r wobr sy'n bwysig ond y profiad o gymryd rhan a chymdeithasu, a'r hufen ar y gacen yw ennill.

Byd bach yw byd yr eisteddfod yng Nghymru. Pawb yn nabod pawb. Haig o bysgod mewn bowlen fach, fach. O ganlyniad, ar ôl pob cystadleuaeth, mae dwsinau o feirniaid answyddogol yn barod i leisio'u barn, ambell waith yn anghytuno'n ffyrnig gyda'r canlyniad, a rhywun wrth gwrs wedi cael cam.

Yn ogystal â'r bobol hyn, mae'r beirniaid answyddogol yn y stiwdio yn traethu'n wybodus yn dilyn pob cystadleuaeth. Nid yn unig mae disgwyl iddyn nhw leisio'u barn, ond hefyd i roi eu pen ar y bloc a phroffwydo pwy sy'n debygol o ennill. Tipyn o embaras yw'r sefyllfa pan mae eu barn nhw'n gwbwl groes i'r beirniad swyddogol yn y pafiliwn. Mae'n rhyfedd sut y mae pobol yn barod i gystadlu flwyddyn ar ôl blwyddyn. Wrth wneud hyn maen nhw, fel oedolion, yn rhoi eu hunain yn agored i gael eu beirniadu. Ai oherwydd eu bod yn mwynhau'r wefr o gystadlu, neu a ydyw'n raddol yn datblygu i fod yn fath o gyffur sy'n anodd bod hebddo?

Erbyn hyn mae gyda fi lawer o ffrindiau o'r byd eisteddfodol. Mae'n bwysig cofio bod pawb yn yr un cwch – gwers bwysig arall i'w dysgu mewn bywyd. Un peth sy'n gyffredin i bawb yn y byd cystadleuol yw cariad at ganu a cherddoriaeth. Ar ôl rhai blynyddoedd fe ddewch i nabod pawb, gan gynnwys y Cymry, y Saeson a'r dysgwyr. Ambell dro fe fydd crwt newydd yn ymddangos, gyda sgiliau a llais arbennig, gan lwyddo i sgubo popeth o'i flaen. Ond yn fuan iawn fe fydd wedi diflannu ac wedi troi at y byd proffesiynol.

Yr hyn sy'n arbennig ynglŷn â'r eisteddfod yw ei bod yn rhoi cyfle i unrhyw berson gystadlu yn y rhagbrawf, gan rannu llwyfan gyda chewri canu'r dyfodol. Mae'n siŵr bod digon o gantorion wedi canu mewn eisteddfod yr un pryd â rhywun fel Bryn Terfel, canwr gorau'r byd. Mae pawb yn cael cyfle i wneud eu gorau, nid dim ond y crachach a'r cewri cerddorol. Dyw'r profiadau hyn, hyd y gwn i, ddim yn digwydd mewn unrhyw wlad arall. Cyfle i bawb ganu mewn awyrgylch mor gefnogol. Rwy'n gweld yr eisteddfod yn sefydliad gwerthfawr iawn, yn agor llawer o ddrysau, ac yn sicr wedi cyfoethogi fy mywyd cerddorol i.

Un o gymeriadau mawr yr eisteddfod yw John Davies, Llandybïe, sydd yn un o'r tri thenor Cymraeg gyda Robyn Lyn a Crwys Evans. Mae'n cefnogi pob eisteddfod fach yn y wlad yn ogystal ag ennill gwobrau o wythnos i wythnos. Fe ges i wahoddiad i fynd gydag e i benwythnos yng Ngregynog lle'r oedd Stuart Burrows yn trefnu dosbarth meistr. Roedd y cwrs yn eithriadol o ddiddorol, yn dechrau ar y nos Wener, a phawb yn gorfod canu'r un gân mewn deg neu ddeuddeg o ffyrdd gwahanol a chael ymateb i'r gerddoriaeth oedd ar gopi pob un. Roedd yn brofiad hynod o arbennig gan ei fod yn gyfle i wrando ar y cantorion eraill yn cael eu cefnogi. Rown i wedi dysgu cymaint wrth wrando ar y broses hon ac roedd yn gyfle i wneud ffrindiau newydd yn ogystal. Diddorol iawn oedd sylwi sut yr oedd Stuart Burrows yn gallu awgrymu pethau bach i ni a bod dehongliad y gân yn gallu newid o fod yn weddol i fod o safon anhygoel. Hyn gyda'r un person yn ei chanu, jyst gydag ychydig bach o newid o ran arddull a gwell syniad o'r hyn roeddech yn ei anelu ato.

Yn fy marn i, o safbwynt canwr, dyw'r briodas rhwng y geiriau a'r gerddoriaeth ddim cystal ar ôl eu cyfieithu. Yn yr ieithoedd gwreiddiol mae'r geiriau a'r dôn yn asio gyda'i gilydd yn well. Dyna amcan y cyfansoddwr wrth gyfansoddi, ond wrth gyfieithu mae'r llafariaid yn gallu bod yn anodd i'r canwr. Efallai y bydd yr ystyr yn newid rhyw ychydig, ac mae'n bosib na fydd yr alaw a phwyslais y brawddegau yn cydredeg drwy'r amser. Gall hyn greu problemau ond, ar yr un pryd, mae'n bosib ei bod yn haws i'r gynulleidfa ddilyn ystyr y gân yn eu hiaith eu hunain.

Mae Eisteddfodau Pantyfedwen ym Mhont-rhydfendigaid, Llambed ac Aberteifi wedi bod yn rhai llwyddiannus iawn i fi. Yn hyn sy'n wahanol rhwng Pantyfedwen a'r Eisteddfod Genedlaethol yw eich bod yn medru canu'r caneuon yn yr ieithoedd gwreiddiol. Fel yr esbonies eisoes, rwy'n hapus iawn yn canu yn yr iaith wreiddiol ond wrth gwrs, iaith swyddogol y Genedlaethol yw Cymraeg. Serch hynny, mae Eisteddfodau Pantyfedwen yn llwyddo i ddenu cystadleuwyr o Loegr. Teimlaf yn hynod o falch o fod wedi cael y profiad o ganu yn yr eisteddfodau hyn. Mae'r rhagbrofion eu hunain yn cynnig cyngerdd o ganu clasurol o'r radd flaenaf. Rhywbeth mawr, mawr, yw'r fraint o gael gwrando a gwerthfawrogi perfformiadau o'r fath safon am ddwy neu dair awr.

Mae'r eisteddfod yn cynnig gwledd o gerddoriaeth o bob math, yr unig ŵyl o'i math yn y Deyrnas Unedig, ac yn fy marn i fe ddylid ei hysbysebu er mwyn denu pobol o Loegr, yr Alban ac Iwerddon yn ogystal, gyda'r bwriad o'i gwneud yn ŵyl fwy cynhwysol. Yn sicr mae'r byd eisteddfodol yn fyd sy'n llawn cymeriadau diddorol. Roedd sôn bod un dyn yn mynd â bara brith i blesio ambell feirniad. O wybod hyn, y cwestiwn ges i oedd, "Pryd wyt ti Kees yn dod â'r waffls 'te?" Mae digon o hwyl a chwerthin.

Profiad diddorol i mi oedd cael gwahoddiad i ganu gyda Chôr Llanpumsaint a'r Cylch, yn rhan o opera *Hywel a Blodwen*. Roedd yn anrhydedd fawr i mi gael cymryd rhan ac yn brofiad gwych cael bod gyda chôr mor safonol dan arweiniad Gwyn Nicholas, ac artistiaid fel Robin Lyn, Iona Jones ac Iwan Wyn Parry. Cyfle arall diddorol oedd cael cynnig actio gyda chwmni opera Porth Tywyn, yr unig gwmni opera amatur yng Nghymru sydd wedi bod yn mynd ers chwe deg o flynyddoedd. Roedd hon yn her wahanol eto. Her anodd hefyd gan fod rhaid cofio'r geiriau ac actio gyda'i gilydd, a chyfleu'r stori i'r gynulleidfa. Dychmygwch, dim ond wythnos oedd yn cael ei chaniatáu i ni ddysgu popeth – gwybod y sgôr a dysgu'r symudiadau. Dim ond wythnos! Roedd angen ymdrech hynod o fawr, profiad hollol wahanol i ganu cân ar y llwyfan. Roedd rhaid gwybod rhan pob un yn fanwl, meddwl am y geiriau a'r holl symudiadau, heb sôn am wrando a dilyn cyfarwyddiadau arweinydd y côr. Heb feistrolaeth ar bob elfen, mi allech symud i'r cyfeiriad anghywir a hyd yn oed syrthio dros y llwyfan. Pwy feddyliai fod canu yn cynnig cymaint o wahanol brofiadau a sialensau? Rwyf wedi penderfynu bod canu ac actio yn digwydd mewn dau hanner gwahanol o'r ymennydd. Rwy'n siŵr mai dim ond un ochor ar y tro rwy'n gallu ei defnyddio!

7

Y TEULU

Roedd Johanna Maria, neu Ans fy ngwraig, yr ieuengaf o naw o blant, wedi colli ei mam yn dair oed ac wedi cael ei magu gan ei chwaer hŷn a oedd yn un ar bymtheg ar y pryd. O ganlyniad doedd hi erioed wedi adnabod ei mam ei hunan. Ei bwriad hi felly oedd bod y fam orau yn y byd pan ddeuai'r cyfle. A daeth y cyfle hwnnw pan oedd hi'n brysur gyda'r gwaith o werthu waffls ym marchnad Caerfyrddin. Rhoddodd heibio'r gwaith yn syth er mwyn cael cyfle i fynychu'r clinigau paratoadol ar gyfer yr enedigaeth.

Wrth gwrs, roedd hi am fynychu dosbarthiadau genedigaeth naturiol, ac rwy'n dal i gofio'r profiad o fynd gyda hi bob yn awr ac yn y man i Gaerfyrddin. Fe fu'n rhaid iddi ddefnyddio tipyn o berswâd cyn i fi gytuno. Roedd rhaid i ni eistedd ar y llawr, esgus rhoi genedigaeth gyda llawer o sŵn sgrechian nes bod fy mola'n gwingo. Fe fuon ni'n trafod y posibilrwydd o gael genedigaeth yn y cartre, neu dan ddŵr, rhywbeth mwy cyffredin yn yr Iseldiroedd. Dim ond pan mae'r doctoriaid yn poeni maen nhw'n awgrymu mynd i'r ysbyty. Wrth gwrs, doedd Nesta'r fydwraig yn poeni dim am drefnu genedigaeth gartre, ond y broblem oedd bod Tregroes ymhell o Glangwili, ac o ganlyniad, i'r ysbyty yr aethon ni.

Pan oedd Ans yn disgwyl Fflur fe sylweddoles i bod rhaid cymeryd pethau fwy o ddifri. Doedd dim angen i fi ofyn i neb yn y gymdeithas a own i'n caru Ans. Roen ni'n byw gyda'n gilydd, yn deall ein gilydd ac yn caru ein gilydd. Felly, peth hollol naturiol oedd penderfynu dwyn plant i'r byd gyda'n gilydd. Yr unig broblem oedd bod ein teulu i gyd yn byw dramor a'n bod am ddiogelu dyfodol ein plentyn/plant.

Yr hyn oedd yn ein poeni oedd pe bai rhywbeth yn digwydd i un ohonon ni'n dau, beth fyddai'r drefn gyfreithiol ynglŷn â'r plentyn/plant. Gan bwy fyddai'r hawl i gael gofal ohonyn nhw pe na bai yna drefn gyfreithiol? Pwy fyddai'r gwarcheidwad? Penderfynes ffonio swyddfa Cyngor ar Bopeth. Druan o'r ferch yn y swyddfa, a oedd yn gwbwl gyfarwydd â delio â phroblemau ariannol, ond yn cael ei llorio gan ein problemau ni'n dau, heb fedru cynnig ateb, ond yn addo ffonio'n ôl.

Whare teg iddi, daeth yr alwad ymhen dau ddiwrnod. A'r ateb: pe bai rhywbeth yn digwydd i Ans, mae'n bosib y byddai'r awdurdodau'n barod i dderbyn mai chi yw'r tad. Ond heb ddogfen gyfreithiol mae'n ddigon posibl y byddai gan deulu Ans yr hawl cynta ar y plentyn/plant. Doedd y ffaith bod fy enw i ar y dystysgrif geni yn cyfri dim. Eglurodd mai'r ateb symlaf fyddai priodi.

Doedd dim angen modrwy nac unrhyw symbol arall i brofi ein cariad at ein gilydd, ond roedd angen tystion. Yr unig reswm dros briodi oedd yr angen i ddiogelu dyfodol ein plentyn/plant drwy ddogfen gyfreithiol. Fel pobol o'r Iseldiroedd, roedd ein hagwedd at yr eglwys a'i thraddodiadau yn ddigon rhyfedd, yn groes i syniadau a daliadau'r Pab yn Rhufain.

Fe aethon i weld y cofrestrydd a threfnu priodi ar y 3ydd o Ionawr 1987. Roedd angen tystion. Tan hynny, doen ni heb ddweud wrth ein rhieni, a phenderfynwyd dweud wrthyn nhw ar ôl y Nadolig. Tipyn o straen oedd teithio'r holl ffordd yng nghanol gaeaf. Ar Ionawr y 1af daeth fy rhieni a fy chwaer draw ar gyfer y briodas, ond nid oedd iechyd tad Ans yn caniatáu iddo ddod. Fe ddewison ni un o'r Iseldiroedd ac un o'r wlad hon fel tystion. Yn y swyddfa rwy'n cofio fy mod wedi gwisgo siwmper, a bod y papur yn hongian oddi ar y wal.

Roedd hwn yn brofiad arallfydol. Rhaid i mi gyfadde bod y gwasanaeth wedi gwneud argraff arbennig arna i. Dwi'n dal i deimlo'n emosiynol ynglŷn â'r profiad. Ffrind i ni drefnodd barti bach yng nghegin ei thŷ yng Nghastellnewydd Emlyn ac mae'r diwrnod yn dal i fod yn eitha sbesial yn fy meddwl o hyd. Aethon ni ar ein mis mêl yn fan y waffls i Gaeredin gydag un o'r tystion hefyd yn gwmni. Roedd Ans wedi blino'n rhacs ar ôl y siwrne. Fe arhoson ni mewn llety y tu allan i'r ddinas, ac am fod Ans yn dewis mynd i'r gwely yn gynnar, fe aethon ni bob prynhawn i weld ffilm Dustin Hoffman.

Fe gafodd Fflur ei geni ar y 23ain o Ebrill 1987.

Wrth ddewis enw, roen ni am enw un sill a fyddai'n plesio'r Cymry, y Saeson a'r Iseldirwyr. Wedi bod am bererindod i Ystrad Fflur, Fflur oedd yr enw, a'i ystyr yw blodyn. Mae'r enw sy'n cyfateb yn yr Iseldireg i Vlier, yn golygu 'sgawen'. Enw Gaeleg o'r Iwerddon yw Kyna, ac yn golygu 'doethineb mawr'. Mae rhai pethau'n dod yn ôl i'r cof. Cofio hedfan lawr i sgwâr Gorrig yn fan y waffls pan oedd Fflur ar y ffordd. Gofyn i Ans a oedd yr hewl yn glir a sgrech arswydus Ans pan deimlodd hi un o'r pangfeydd dychrynllyd. Daeth chwaer Ans draw i aros gyda ni am wythnosau i helpu ac rown i'n teimlo fel pe bawn yn cael fy ngwthio i'r naill ochr ar y pryd. Dros amser, mae bod yn dad wedi datblygu i fod yn rôl rwy'n teimlo'n wir falch ohoni. Cofio Fflur yn fabi bach tew, tew, ond yn hollol ddiddig, yn chwarae gyda cherdyn y pecynnau waffls drwy'r dydd.

Yn rhyfedd iawn, fel gyda phob plentyn cynta siŵr o fod, roedd Ans a finne'n trafod pob peth hyd at syrffed bron. Ddylai hi gael y brechiadau ar gyfer pob clefyd yn y byd? Ddylai hi fynd i ysgol Tregroes, neu i Landysul? Trafod, trafod, trafod cyn gwneud pob penderfyniad. Efallai, achos ein bod yn deulu bach, ac yn dibynnu cymaint ar ein gilydd, rown i'n teimlo mwy o bwysau na theuluoedd sydd â'u rhieni'n byw gerllaw.

Gyda Kyna, ddwy flynedd yn ddiweddarach, roedd pethau'n hollol wahanol. Yn y lle cynta, daeth Kyna mor glou fel bod Nesta'r fydwraig yn cytuno ei bod yn amhosib i ni fynd i Glangwili, a chafodd ei geni yn Y Siop. Yn ystod yr un flwyddyn, fe aned babanod mewn dau le arall yn yr ardal yn eu cartrefi. Doedd dim angen trafod gan fod yr holl broblemau wedi eu gwyntyllu'n barod. Pan gafodd hi ei geni gartre yn Nhregroes, yn wahanol i Fflur yn ysbyty Glangwili, daeth ei modryb o'r Iseldiroedd i ofalu am y tair. Profiad digon rhyfedd i mi fel tad ar y pryd, gan fod ei mam yn bwydo ar y fron.

Roedd yn grêt i fagu plant mewn pentre fel Tregroes, gyda chymaint o gefnogaeth ar gael wrth law. Doedd dim problem o gwbwl cael rhywun i edrych ar ôl y ddwy fach. Roedd Elwyn Rhiwlug bob amser yn barod i helpu a Shirley drws nesa yr un fath hefyd. Mae Elwyn yn dal i siarad am y tro pan oedd yn edrych ar ôl y merched, yn chwarae cwato, a'r plant wrth eu bodd.

Erbyn ei bod hi'n amser i ni feddwl o ddifri am ddewis ysgol i'r merched, roedd Ans yn poeni oherwydd bod Emyr Hywel, fel prifathro ysgol Tregroes, yn naturiol yn pwysleisio'r addysg Gymraeg. Y broblem oedd nad oedd Ans yn deall dim o'r iaith, a finne ond ychydig. Doedd Fflur ddim yn deall dim ond yr Iseldireg. Felly fe'i danfonwyd hi i'r ysgol feithrin Saesneg yng Nghapel Dewi, gan fod Ans yn awyddus iawn iddi fedru siarad tipyn o Saesneg beth bynnag. Pan ddaeth yn amser iddi fynd i'r ysgol gynradd, i ysgol y pentre yr aeth hi.

Ar y pryd, un deg chwech o ddisgyblion oedd yn ysgol Tregroes. Roedd Kyna am fod gyda'i chwaer fawr, a dyna fyddai'n digwydd bob dydd – Ans, y

Ans a finne.

Ans a finne eto.

Fy nheulu.

Fflur, Kyna a finne.

Stondin waffls yn marchnad Caerfyrddin yn y dyddiau cynnar.

Fy rhieni.

Fy nwy chwaer, fy mrawd a finne.

Tad Ans.

Emyr Hywel, gyda rhai o ddisgyblion Ysgol Tregroes.

Diwrnod mabolgampau Ysgol Tregroes.

Croesi sgwâr Tregroes gyda'r defaid.

Y bws ysgol ar sgwâr Tregroes.

Ken a Christine Reynolds.

Fi.

Janet Morgan.

Jim, Lodge Cottage.

Derek Green.

Catrina a'r hwrdd.

Cael help i ofalu
am yr hwch a'r
moch bach!

Elwyn ac Ans yn cael sgwrs yn
Y Siop.

Mam a Cerdin yn arwain
y ddawns.

Teulu Rhiwlug.

Staff y ffatri.

Ar fy meic o flaen y ffatri waffls.

ddwy fach, a'r ci Jack Russell yn cerdded o'r Siop yr ychydig lathenni i'r ysgol.

Yn Lloegr mae rhai'n danfon eu plant i ysgol breifat am nad oes llawer o gyfleoedd yn yr ysgolion eraill. Roedd yr holl gyfleoedd hyn ar gael yn ysgol Tregroes yn fy marn i. Gan fod cyn lleied o nifer yno roedd yn rhaid i Fflur gymeryd rhan ym mhob digwyddiad, hyd yn oed chwarae rygbi a phêl-droed. Doedd dim y dewis ar gael fel sydd mewn ysgolion mwy o faint. Roedd rhaid i bawb ymuno neu fyddai ddim tîm ar gael. Roedd y plant yn gorfod rhedeg bob dydd (a thua milltir unwaith yr wythnos lan i fferm Dyffryn Llynod ac yn ôl), ymarfer a oedd yn hollbwysig i bawb. Mewn ysgol fach, rhaid i'r plant ddelio gyda phob math o blant eraill, o bob anian a gallu. Gwers bwysig iawn i'w dysgu mewn bywyd yw bod lle i bawb o fewn y gymdeithas. Rwy'n teimlo bod y profiadau hyn wedi bod yn werthfawr iddyn nhw ac wedi rhoi sylfaen dda i'w bywydau.

Peth arall oedd yn bwysig iawn oedd y ffaith bod y plant hŷn yn edrych ar ôl y plant iau. Yn ogystal, roedd y plant yn gorfod cyfarwyddo gyda thrin plant amrywiol iawn o ran gallu academig, o ran natur ac o ran cefndir. Mewn pentre bach, yn yr ysgol roedd y plant yn cael eu trin fel teulu. Rhywbeth arbennig iawn, y lle'n hollol ddiogel, bendith fawr. Pan ges i wahoddiad i fod yn aelod o'r llywodraethwyr, fedrwn i ddim gwrthod. Roedd yn anrhydedd ac yn her ar yr un pryd i fedru cyfrannu at les yr ysgol, canolbwynt y pentre.

Fe ddechreuodd busnes y waffls yn 1983, ond roedd Ans wastad yno ar gyfer y plant, yn sicr y fam orau'n y byd. Roedd hithau'n arbennig o hoff o waith celf. Hoffai wneud defnydd ffelt mas o wlân, gan greu nifer o luniau artistig iawn. Ar ôl i'r plant ddechrau'r ysgol fe fanteisiodd ar y cyfle i astudio'r gelfyddyd mewn cwrs arbennig yng ngholeg Caerfyrddin. Rown i wedi cytuno i gasglu'r plant o'r ysgol am hanner awr wedi tri.

Un diwrnod, rhwng y gwaith yn y popty a phob dim, fe anghofies i'n llwyr a doedd dim un blewyn ar fy mhen yn cofio mai fy nghyfrifoldeb i oedd casglu'r merched o'r ysgol. Fedra i ddim gwneud mwy nag un dasg ar y tro. Am bedwar o'r gloch, roedd Mrs Bundock, athrawes yr ysgol, yn ffonio i ddweud bod dwy ferch fach ar ôl. "Mama mia. Sori, sori. Fi'n dod nawr." Ond chi'n gwbod beth? Digwyddodd yr un peth yn union y diwrnod canlynol. Mae 'na ddywediad yn yr Iseldireg bod yr asyn ddim yn brifo ei goes ddwywaith ar yr un garreg. Rown i'n amlwg yn waeth na'r asyn. Tybed a yw'r profiad wedi gadael rhyw graith fach, fach ar eu calonnau oherwydd bod eu tad wedi anghofio'n llwyr amdanyn nhw dro ar ôl tro?

Roedd y system addysg yn dda serch hynny, gan fod y plant yn cael digon o gyfleoedd i gymysgu gyda phlant o ysgolion eraill. Brynhawn Gwener, fe fyddai bws yn dod i gasglu'r plant o wahanol ysgolion i wersi nofio yn Llandysul. Ffwdan i droi'n ôl, bois bach. Roedd yn rhaid i'r bws rifyrso'r holl ffordd o'r sgwâr lan bob cam i'r ysgol.

Yn sicr, y sioc ddiwylliannol fwya i Ans a fi oedd ein profiad cynta bythgofiadwy o fyd yr eisteddfod. Doedd dim syniad gan yr un ohonon ni beth i'w ddisgwyl. Roedd Fflur wedi hen ddysgu Cymraeg yn bump oed ac yn hollol gyffrous, yn edrych ymlaen yn eiddgar at y profiad a'r sialens. Cofiwch, doedd Ans ddim yn medru siarad gair o Gymraeg a finne ond rhyw ychydig. Serch hynny, fel rhieni balch, roen ni'n dau'n awyddus i gefnogi ac i weld y plant yn perfformio. Ein profiad cynta o eisteddfod oedd yn yr hen neuadd yng Nghoedybryn, gyda phump ar hugain o blant yn canu 'Dau Gi Bach' un ar ôl y llall. Eisteddfod arbennig oedd hon ar gyfer plant ysgolion y cylch fel Aberbanc, Capel Cynon, Tregroes, Coed-y-Bryn a Phontsiân. Mae gwên yn dod i fy wyneb o hyd wrth feddwl am y digwyddiad, am y naws, am yr adeilad, a'r gefnogaeth. "Mas o'r byd hwn," ys dywed y Sais.

Bois bach, am brofiad! Mamau'n gwenu, mamau'n gwthio, plant yn llefain, plant yn rhyfeddol, plant mas o diwn. Doen ni, fel tramorwyr, ddim wedi gweld dim byd tebyg. Anhygoel! Heb ddeall yr iaith a heb fod yn sicr pa fath o dderbyniad a gaem ni fel tramorwyr, roedd yn sioc ddiwylliannol go iawn. Roedd pob plentyn yn ennill cwdyn bach a rhuban wedi ei wau yn arbennig ar gyfer pob cystadleuaeth, whare teg!

Pan ddaeth yr amser i'r merched adael Ysgol Gynradd Tregroes a symud i Ysgol Dyffryn Teifi, doedd e ddim yn broblem o gwbwl iddyn nhw. Cam bach iawn oedd symud i ysgol o bum cant o ddisgyblion.

Roedden nhw mor gyfarwydd â'r plant o ysgolion cynradd y cylch yn barod, ac wedi cael digon o gyfle i dreulio cyfnodau ymlaen llaw yn yr ysgol newydd. Erbyn hynny roedd y ddwy yn barod am fwy o ddewis o bynciau a mwy o ddewis o ffrindiau ac amrywiaeth o athrawon. Roedd yr addysg yn arbennig o dda. Fe brofodd ysgol ddwyieithog yn fanteisiol iawn.

Roedd hwn yn gyfnod allweddol, gan eu bod yn medru siarad Cymraeg yn yr ysgol, Saesneg y tu allan ac wrth gwrs yn hollol rhugl yn yr Iseldireg hefyd. Roedd rhyw falchder yn y ffaith eu bod yn rhugl mewn tair iaith. Roedd yn bwysig iawn wrth ddychwelyd i'r henwlad eu bod yn gallu siarad â'u tad-cu gan na fedrai yntau ond yr Iseldireg. Yn anffodus, ni fedrai eu cefnderwyr a'u cyfnitherod oedd yn byw yng Nghanada gyfathrebu ag e o gwbwl. Mae'n bwysig cadw cysylltiad gyda'ch gwreiddiau.

Erbyn hyn mae Fflur yn medru siarad pump o ieithoedd yn rhugl, er ei bod yn byw ac yn gweithio yn Llundain ar hyn o bryd. Doniau gwahanol sydd gan Kyna, gan fod ganddi hi feddwl llawer mwy gwyddonol na'i chwaer. Anodd credu bod dwy ferch gyda'r un rhieni ac yn dod o'r un nyth, mor wahanol i'w gilydd. Rwy'n sicr o un peth – na fedrai'r ddwy fod wedi cael gwell addysg a chyfleoedd nag a gawsant yn ystod eu plentyndod hapus yn y ddwy ysgol.

O ran cerddoriaeth fe fu'r ddwy groten yn lwcus i gael gwersi piano gan gerddor dawnus iawn o'r enw Del Newman, oedd yn byw ym Mangor Teifi. Fe roddodd e sylfaen gerddorol gadarn iawn iddyn nhw. Tipyn o gymeriad, yn byw fel sipsi, heb aros mwy na rhyw dair blynedd mewn un man sefydlog. Yn ddi-Gymraeg ond yn berson galluog iawn ac wedi gweld tipyn o'r byd. Roedd wedi bod yn gysylltiedig â bandiau pop hefyd ac wedi gwneud llawer o drefniannau cerddorol ar eu cyfer. Erbyn hyn mae Fflur yn gwneud gyrfa allan o'r byd cerddorol. Kyna sy'n berchen ar lais hyfryd, ond fel ei thad yn rhy swil i'w ddefnyddio. Beth bynnag, mae'r ddwy'n mwynhau canu a dyna beth sy'n bwysig.

Mae'r ddinas fawr wedi denu'r ddwy ferch, ond mae Cymru fach wedi rhoi sylfaen gref iawn iddyn nhw. Pwy a ŵyr ble fyddan nhw'n ymgartrefu yn y dyfodol? Heddiw mae cymaint o ddewisiadau ar gael ar gyfer plant, ac mae eu bywydau o'r herwydd yn llawer mwy cymhleth wrth geisio penderfynu beth i'w wneud a ble i fynd.

8
CODI PAC

I mi mae bywyd ar y fferm yn fywyd cyfoethog a delfrydol, yn bennaf oherwydd bod cyfle i'r teulu cyfan fod yn rhan o'r gwaith. Dim gwahaniaeth rhwng gweithio, byw a magu teulu, gyda'r plant yn cael helpu o'r dechrau gyda'r gwaith ar y fferm. Bywyd mor, mor gyfoethog. Digon tebyg oedd y sefyllfa gyda'r busnes waffls yn Nhregroes ar y dechrau. Fe fyddwn i'n paratoi'r toes cyn brecwast drws nesa, yna'n mynd 'nôl i'r tŷ ac yn cael brecwast gyda'n gilydd fel teulu. Yna, pobi tan 10.30 yn y bore cyn y toriad pan fyddai'r plant yn rhuthro draw ac yn eistedd yn fy nghôl. Doedd dim angen llawer o arian i fyw, ond bywyd perffaith ac mor gyfoethog.

Ar yr un pryd rown i'n cytuno gydag Ans bod byw uwch ben Y Siop yn mynd yn fwy a mwy anodd, gan fod pobol yn galw yn ddi-stop. Roedd yn rhwym o gael dylanwad gwael ar fywyd teulu hefyd. Roedd y busnes yn cynyddu ac yn newid o fod yn fusnes bach gwledig i fod yn fusnes bwyd go iawn. Erbyn hyn, roedd rhaid cyfadde nad oedd Y Siop a phentre Tregroes gyda'i heolydd cul, heb le i droi, y lle gorau i ddatblygu busnes ymhellach. Roedd gwerthiant y waffls yn cadw'r teulu i fynd ond nid yn ddigon i ariannu unrhyw ddatblygiad. Am dipyn, fe fuon ni'n ceisio penderfynu ar y ffordd ymlaen.

Yn y pen draw fe wnaethon ni'r penderfyniad i symud, ond nid heb dipyn o drafod. Fe chwilion ni am lefydd addas ac o'r diwedd fe welon ni adeilad yn Llandysul a oedd wedi ei adeiladu gan Awdurdod Datblygu Cymru (WDA) yn y 70au. Roedd dyn busnes wedi ei brynu, ond yn anffodus roedd yr hwch wedi mynd drwy'r siop a'r adeilad ar werth. Jyst digon o le i gael lein gynhyrchu waffls a pheth tir y tu allan i bobol barcio a'r lorïau i droi. Tair milltir a hanner o Dregroes, safle addawol iawn.

Ar ôl cysylltu â'r rheolwr banc, bu'n rhaid gwneud cynllun busnes unwaith eto. Wrth gwrs, nid yr un rheolwr banc oedd yno'r pryd hynny â phan brynon ni'r Siop yn y lle cynta. Boi newydd sbon, ac roedd ein sefyllfa ni'n wahanol, o ran y ffaith ein bod wedi rhedeg busnes am tua deng mlynedd erbyn hynny. Ar ôl gwrando ar ein stori ni yn Y Siop yn Nhregroes, a gweld ein sefyllfa, pwysleisiodd yr elfen o risg. Ei ymateb oedd, "Os oes un blewyn o dy wallt yn becso, dyw e ddim gwerth y risg o golli popeth." Eglurodd pe byddai'r busnes newydd yn fethiant fe fyddwn yn colli popeth, Y Siop yn Nhregroes yn ogystal â'r uned yn Llandysul, oherwydd eu bod yn rhan o'r sicrwydd benthyg.

Mae'n haws benthyg arian pan y'ch chi'n dechrau o ddim byd. Y banc sy'n cymeryd y risg, a does dim byd i'w golli. Sefyllfa wahanol iawn ar ôl deng mlynedd o waith caled a ninne wedi llwyddo i gasglu peth eiddo. O ganlyniad, roedd y rheolwr yn mynnu ein bod yn defnyddio'r Siop fel gwarant iddyn nhw. Yn ogystal, fe fyddai cost y peiriannau yn fwy na'r adeilad. Roedd prynu hwnnw yn un peth ond fe fyddai angen prynu lein gynhyrchu'r waffls yn ogystal. Efallai 'mod i'n ddigon naïf wrth ddechrau'r busnes yn prynu'r 'waffle iron' heb sylweddoli bod cynhyrchu bwyd ar raddfa fwy yn golygu buddsoddiad sylweddol iawn.

Mis Ebrill 1994 oedd yr amser tyngedfennol pan wnaethon ni godi pac a symud i Landysul, ond yn sicr nid heb lawer o feddwl a thrafod. Erbyn hyn roedd Kyna yn bump oed, wedi dechrau'r ysgol ac o'r herwydd fe fedrai Ans helpu yn Llandysul yn ystod oriau ysgol. Doedd y peiriannau yn Nhregroes ddim bellach yn ddigon mawr a finne wedi medru prynu adeilad gyda benthyciad gan y banc.

Awd ati i brynu lein gynhyrchu gan fod un o'r cwmnïau waffls mawr yn yr Iseldiroedd wedi penderfynu prynu peiriant newydd. Roedd rhaid gosod a thalu am bacio deunydd mewn lori. Fe fuwyd yn trafod cynlluniau am wythnosau gyda'r bois o'r Iseldiroedd. Roedd rhaid cael y gwasanaethau angenrheidiol i gyd i mewn i'r adeilad newydd. Y tri pheth allweddol oedd cyflenwad nwy i ferwi'r toffi, a rhoi golau i'r ffwrn; aer cywasgedig i symud y waffls o un peiriant i'r llall, a'r trydydd peth allweddol, y faciwm. Yn y system fe fyddai rhan ucha'r waffl yn sugno lan o'r gwaelod er mwyn i'r toffi gael ei roi yn y canol. Roedd rhaid tynnu lluniau o sut yr oedd popeth yn mynd i ffitio i'r adeilad, a oedd yn hollol wag, yn barod i dderbyn y peiriannau, gyda sied i'r cywasgwr gerllaw.

Pan gyrhaeddodd y bois o'r Iseldiroedd gyda'r peiriannau yn eu lori, roedd y tri brawd oedd yn rhedeg y felin goed gyferbyn yn gwylio'r datblygiadau yn llawn chwilfrydedd, gyda'u cegau ar agor, yn ffaelu coelio beth oedd yn digwydd. Roedd y peiriannwyr o'r Iseldiroedd yn aros am wythnos gyfan ac yn gweithio o fore gwyn tan nos, a brodyr y felin goed yn gwylio drwy gydol yr wythnos yn ddi-baid. Ambell dro rydyn ni'n dal i drafod y cyfnod ac yn ail-fyw'r profiadau gyda'n gilydd.

Bob Grantham oedd y peiriannydd wrth y gwaith yn Nhregroes, ac yn barod i gefnogi'r peirianwyr profiadol o'r Iseldiroedd gyda gwybodaeth leol. Hwn oedd y boi allweddol i lwyddiant y busnes. Fe fu'n rhaid i mi weithredu fel cyfieithydd rhyngddo a'r gwŷr o'r hen wlad. Roedd tipyn o baratoadau wedi eu gwneud ymlaen llaw ar gyfer y systemau cymhleth a oedd yn rhyfeddod i ni i gyd. Fe gymerodd wythnos gyfan i roi cychwyn ar y fenter.

Ar y dechrau rwy'n siŵr bod y bois o'r Iseldiroedd bron â chael trawiad ar y galon am fod angen i'r aer deithio mewn pibell, a ninne heb un. Bu raid prynu offer o Abertawe a Chaerdydd. Roedd pobi yn Nhregroes yn syml mewn cymhariaeth. Nawr roedd angen systemau cymhleth yn cynnwys aer, simnai ffliw a nwy. Rydym i bob pwrpas yn defnyddio'r un systemau ond wedi addasu tipyn arnyn nhw erbyn hyn. Bois bach, roedd lefelau'r straen yn ddifrifol.

Roedd y gweithwyr yn y gweithdy drws nesa'n dal i wylio'r datblygiadau mewn rhyfeddod llwyr. Pan ddeallodd Dai yn y gweithdy bod un o'r peirianwyr o'r Iseldiroedd yn gallu weldo dur gloyw, gofynnodd iddo a fedrai wneud ffafr ag e, sef weldo bwrdd coffi. O leia dyna ddeallodd yr estron pan ofynnodd Dai am y ffafr. Daeth hwnnw ata i yn syth, yn methu deall pam roedd angen weldo dur gloyw ar fwrdd coffi neu "coffee table". Ond nid bwrdd coffi oedd ganddo dan sylw. Wedi deall fod Dai yn ymgymerwr angladdau, sylweddolwyd mai "coffin table" oedd angen ei drwsio, nid bwrdd coffi wedi'r cyfan!

Y cytundeb a wnaethon ni gyda'r cwmni o'r Iseldiroedd oedd ein bod ni'n talu'r taliad ola ar ôl iddyn nhw brofi bod y peiriannau'n gweithio'n iawn a bod waffls yn cael eu cynhyrchu ar y peiriannau. Roedd y gwŷr o'r Iseldiroedd wedi bwcio'r fferi adre y Sadwrn canlynol. Ganol nos Wener am ddeuddeg o'r gloch fe lwyddwyd i gael y waffls cynta allan o'r peiriant. Llwyddiant, balchder, a thipyn bach o barti i ddathlu'r ffaith eu bod wedi gallu mynd 'nôl adre i'r Iseldiroedd.

Ond ar ôl dechrau pobi ar y bore Llun canlynol, erbyn pum munud wedi wyth roedd y peiriant wedi torri a ninne heb ddim clem beth i'w wneud. Bois bach, dyma siom! Bu'n rhaid mynd yn ôl i Dregroes i ailweithio yn Y Siop – tipyn o argyfwng gan ein bod wedi benthyca cymaint o arian. Roedd angen cynhyrchu o leiaf 4,000 o waffls bob awr i gwrdd â'r cynllun busnes.

Fe ddylwn i fod yn mynd mas i werthu cynnyrch, ond gan fod y peiriannau mor annibynadwy doedd hi ddim yn deg i ofyn i unrhyw un arall gymeryd y cyfrifoldeb. Yn ogystal â chynhyrchu waffls roedd y gwastraff rhyfedda yn ymddangos, sbwriel a dim byd mwy. Roedd y sefyllfa wir yn argyfyngus, un cam gwag a gallai fod yn ddiwedd ar y cyfan. Colli dwy neu dair munud, a channoedd o waffls ar y llawr. Ai camgymeriad oedd y fenter? Becso, becso, becso.

Gwers bwysig a ddysges i yn ystod y cyfnod hwn yw nad yw'n bosib, wrth wneud cam mawr, fod popeth yn mynd i ddatblygu'n hwylus ac yn naturiol yn ôl y cynllun ar bapur. Fe fydd yn anochel eich bod yn cael problemau ar y dechrau oherwydd does dim un cynllun theoretig yn trosglwyddo i'r ochor ymarferol yn gwmws yn ôl eich dymuniad.

Yn ara bach, bach, dechreuodd pethau wella, gyda Bob Grantham yn gwneud ei orau glas i oresgyn y problemau. Roedd rhaid dysgu gwersi pwysig a bod yn fwy trefnus. Yn ystod y cyfnod hwn bu Allan Shiers, y gwneuthurwr telynau, yn gymorth mawr. Roedd yn deall peiriannau a bu ei gyfraniad i'n busnes yn amhrisiadwy. Roedd ei ymyrraeth ef yn ein galluogi i fod yn fwy cyson a dibynadwy. Edrychodd ar bob peiriant yn ei dro, gan gywiro ambell wendid yma ac acw, ac ychwanegu rhan newydd os oedd angen.

Fe ddechreuon ni weithio'n fwy hwylus gyda'r peiriannau, ac o ganlyniad, roedd gwell naws yn y popty. Roen ni'n gallu dibynnu mwy ar y peiriannau a dechrau teimlo ein bod ni fel tîm yn gallu eu rheoli, yn lle eu bod nhw'n ein rheoli ni. Cyfnod anodd iawn yn hanes Tregroes Waffles. Rown i'n dal heb deimlo'n hyderus i fynd mas i werthu'r waffls a gadael y cynhyrchu yng ngofal y tîm. Er bod y peiriannau'n gweithio lawer yn well nag ar y dechrau, roedd gormod o wastraff yn cael ei gynhyrchu i mi deimlo'n hapus i adael y cyfrifoldeb yn nwylo'r tîm.

Rown i'n berson oedd yn arfer drwgdybio a chasáu pob gwerthwr insiwrin, a heb erioed fuddsoddi mewn unrhyw gynllun. Yn fy marn i maen nhw'n chwarae ar ofn pobol, a'r unig rai sy'n elwa yw'r llywodraeth a'r banc. Gwell gen i gadw'r arian yn fy mhoced i'n hunan. Ond un diwrnod fe wnes i rywbeth rhyfedd iawn, wrth ymateb i Nigel, un o'r gwerthwyr polisi insiwrin. Bois bach, roedd y boi'n gallu siarad a siarad! Yn syth, rown i'n methu coelio fy mod wedi gwneud peth mor hurt, diolch i'w daerineb a'i huodledd. Es i adre i Dregroes a chyfadde wrth Ans na fyddai hi byth yn medru dyfalu pa mor ffôl rown i wedi bod. Wedi prynu polisi insiwrin hollol, hollol ddiwerth, a gan fy mod wedi arwyddo, doedd dim posib i mi newid y penderfyniad.

Fore trannoeth, roedd Nigel yn ei ôl, yn cyfadde ei fod wedi hen flino ar werthu insiwrin ac yn cynnig gwerthu waffls. Eglures na fedrwn i fforddio talu gwerthwr a bod yn rhaid i mi wneud y gwaith fy hunan. Ei gynnig oedd talu yn ôl gwerthiant. Gan fod teulu ifanc gydag e, fe fyddai'n disgwyl cyflog, car y cwmni, ffôn symudol yn ogystal â chyfrifiadur. Dim gobaith caneri, gwd boi, oedd fy ymateb i. Bant aeth Nigel â'i gwt rhwng ei goesau. Mewn pythefnos roedd yn ôl unwaith 'to, yn dal i ymddwyn fel rhyw derier Jack Russell bach yn cnoi fy sawdl. Roedd yn poeni'n ddiddiwedd am ryw dri neu bedwar mis.

Yn y diwedd fe ildies i'w geisiadau ond gydag amodau arbennig. Cynnig y gwaith i ddechrau am dri mis yn unig. Fe benderfynes i rentu car, prynu ffôn symudol y gallwn i ei defnyddio pe byddai angen, a'r un peth yn wir am y cyfrifiadur. Wel, dyna ni, fe ddechreuodd Nigel werthu i ni ac, wrth gwrs, wyddwn i ddim ar y pryd ei fod yn adnabod merch oedd yn gweithio yn Starbucks yn Llundain. O ganlyniad fe ddaeth y gwerthiant mawr cynta – ie, i Starbucks. Fe wnaeth y busnes ddyblu dros nos, fwy neu lai, a bu Nigel yn gweithio gyda ni am amser hir, hir. Fe oedd y crochan aur, peiriant y cwmni. Heb werthiant does dim byd, a nawr roedd y busnes yn ehangu'n glou, glou.

Straen o fath gwahanol iawn oedd medru talu'r rheolwr banc. Ie, arian yw'r brenin o hyd. Yn y flwyddyn 2000 roedd Starbucks yn fusnes llwyddiannus iawn. Fe roddodd y cwmni gynnig i werthu'r waffls mewn tair ar hugain o wledydd. Wel, roedd y popty yn Llandysul yn rhy fach i gymeryd cytundeb o'r fath a hefyd roedd y busnes gyda'r cwsmeriaid eraill mor fach mewn cymhariaeth.

Mae rheol aur mewn busnes. Rheol 80:20, h.y. peidio â gwerthu mwy nag 20% i un cwsmer.

Rheol sy'n gweithio mewn gwahanol ffyrdd ond yn benderfyniad doeth o ran y cwsmeriaid. Penderfyniad anodd, anodd, gan eu bod am gyfyngu'r gwerthu iddyn nhw yn unig. Fe fyddai hyn yn golygu rhoi 99% i un cwsmer. Tregroes Waffles, y cwmni gyda dim ond un cynnyrch, nawr ar fin gwerthu i ddim ond un cwsmer. Y penderfyniad oedd gwrthod, er bod y manteision ariannol yn ymddangos yn addawol iawn.

Wrth edrych yn ôl, dyna oedd y penderfyniad iawn. Dim ond un cynnyrch mewn un basged – peth tu hwnt o beryglus. Gwell cael pedwar cant o wahanol gwsmeriaid er mwyn cadw'r busnes yn iach. Roedd Nigel yn cytuno, er ei bod yn galed am flwyddyn neu ddwy. Yn anffodus i ni, fe briododd Nigel â merch o'r Ariannin, a gan ei bod hi'n hiraethu am ei chartre fe benderfynon nhw symud i fyw yno. Fe gawson ni flwyddyn o rybudd ganddo a'r fargen oedd y byddai'r bonws am ei flwyddyn ola ddim yn dibynnu ar werthiant ond, yn hytrach, ar ddod o hyd i berson addas yn ei le.

Heddiw mae'r busnes yn iach gyda llawer o gwsmeriaid eitha tebyg i'w gilydd. Ond mewn byd busnes mae pethau wastad yn newid ac mae'n bwysig i ddysgu a gweld yr hyn sy'n mynd ymlaen drwy'r amser. Mae gwerthu fel llanw bwced sy'n gollwng. Rhaid dal i'w lanw o hyd.

Y chwe mis cynta ar ôl symud i Landysul oedd y gwaetha yn fy mywyd o ran busnes. Peidiwch byth â disgwyl bod pethau'n mynd i weithio yn ôl y cynllun o'r diwrnod cynta. Rhaid paratoi ar gyfer cyfnod o broblemau cychwynnol wrth wneud y cynllun gwreiddiol. Cymaint o fecso, ond diolch i reolwr banc deallus a chefnogol rydyn ni wedi goroesi. Ar ôl y cyfnod hwn, drwy lwc, mae'r busnes wedi mynd o nerth i nerth.

Erbyn hyn rwy'n hyderus bod y systemau mewn lle er mwyn cynhyrchu bwyd safonol, iach sy'n cael ei achredu. Rwy'n teimlo bod y cwmni mewn dwylo diogel. Mae'n dîm cryf sydd mor gefnogol ac yn mynd dipyn ymhellach na'r disgwyl gan weithwyr cyffredin. Ar ôl blwyddyn roedd y gweithlu wedi newid cryn dipyn. Ar y dechrau rown i'n cyflogi mwy o wragedd ond erbyn hyn mae'r menywod yn y lleiafrif.

Gwelir mwy o fechgyn ifanc gyda sgiliau arbennig. Rhaid i mi gyfadde fy mod yn gallu bod yn ddiamynedd ar brydiau, yn enwedig pan oedd y straen a'r pwysau yn cynyddu, ac erbyn hyn mae John Jones yn rheoli'r popty ac yn edrych ar ôl y gweithwyr mewn ffordd hwylus a llwyddiannus iawn. Mae gan John sgiliau arbennig wrth drin gweithwyr, ac mae'n deall y peiriannau a'n ffordd ni o weithio i'r dim. Fe ddaeth i weithio aton ni ar ôl gorffen cwrs yng Ngholeg Addysg Bellach y Graig yn Llanelli. Roedd yn dymuno aros yn yr ardal ond heb freuddwydio y byddai'n dilyn gyrfa gyda ni.

Dyma un o'r pleserau mwyaf un, gweld pobl ifanc yr ardal yn datblygu o ran sgiliau a hyder. Erbyn hyn, mae'n rhedeg yr ochor gynhyrchu yn well na fi fy hunan. Ond cofiwch, ambell waith, maen nhw'n galw ar yr hen ddyn i'w cynghori neu i helpu i ddatrys rhyw broblem arbennig. Rydyn ni'n lwcus iawn bod yr un bobol wedi gweithio gyda ni ar hyd y blynyddoedd. Fel arfer, pan mae angen cyflogi rhywun arall, mae'r bobol yn ymddangos ar stepen y drws.

Mae'r cwmni wedi datblygu cryn dipyn yn ystod y blynyddoedd diwetha. Doedd dim stafelloedd newid ar gyfer y gweithwyr, ac roen nhw'n gorfod newid yn y toiledau. Yn y popty mae angen dillad arbennig a rhwyd wallt. Rhaid cael dillad glân bob dydd. Fedren ni ddim ehangu'r adeilad oherwydd bod Asiant yr Amgylchedd yn mynnu ei fod ar orlifdir. Yr hyn wnaethon ni oedd codi ail lawr dros ben y swyddfa, er mwyn creu stafelloedd newid. Yn 1987, cyn i ni symud o Dregroes, roedd yr ardal dan ddŵr a bu'n rhaid codi popeth yn uwch. Yn ffodus, ar ôl i griw Paddlers Llandysul greu llyn gerllaw mae problem y dŵr fel pe bai wedi ei datrys.

Chwe mis ar ôl codi'r estyniad daeth yr uned drws nesa ar werth. Y tro cynta down i ddim yn gallu ei phrynu. Yr ail dro fe lwyddon ni, ac o ganlyniad, ein galluogi i gael adeilad ar gyfer storio deunydd pecynnu a gweithdy i Bob, ein peiriannydd. Yn ogystal, daeth cyfle i gael swyddfa ychwanegol ar gyfer croesawu ymwelwyr.

Bob blwyddyn ar ddechrau'r haf, rydym yn derbyn a chefnogi person ifanc ar brofiad gwaith. Prosiect diddorol iawn. Fel rheol, plant o fy hen goleg yn yr Iseldiroedd ydyn nhw ac yn aros am dri neu bedwar mis. Mae'r profiad o les i'n gweithwyr ni hefyd gan eu bod yn dod â'u profiad arbennig gyda nhw. Cyfle iddyn nhw gael gweithio mewn gwlad newydd sbon ac mae'n gweithio ddwy ffordd. Ar ein hennill o hyd. Fe deimlwn falchder ein bod yn gallu cynnig y cyfle hwn iddyn nhw. Fe fyddan nhw'n dewis y prosiect cyn dod, gan sicrhau eu bod yn gallu ei orffen o fewn yr amser penodol. Daeth Leon draw o'r Iseldiroedd a bu'n werthfawr iawn yn rhedeg y swyddfa ar ôl i Ans farw. Bellach mae wedi symud 'nôl i'r Iseldiroedd.

Llwyddiant busnes yw gwerthu, gwerthu, gwerthu. Yn 2016, fe fuon ni'n lwcus i gael Jennifer, merch o Bordeaux. Cyrhaeddodd ym mis Mehefin ac fe ddychwelodd hi ar ddiwedd mis Tachwedd. Ei diddordeb oedd Technoleg Bwyd ac fe weithiodd yn galed, galed i greu cynnyrch newydd sbon – Cracyr Sawrus. Yn ystod y blynyddoedd rwyf wedi chwilio am gyfle i greu cracyr Cymreig sy'n gweddu gyda'r llwyth o gawsiau Cymreig ar y farchnad ac wedi ceisio arbrofi tipyn gyda nhw. A dweud y gwir, Jennifer oedd yr ail fyfyrwraig i aros, gyda'r cyfrifoldeb o geisio datblygu'r cracyrs. Datblygu rysáit diddorol a oedd yn cynnwys y cydbwysedd iawn ac yn gwneud defnydd o gawsiau Cymreig. Fe gawson nhw eu treialu yn y Sioe Aeaf yn Llanelwedd yn 2016 ac roedd yr ymateb yn hynod o dda.

Y fantais arbennig wrth greu'r cracyrs hyn yw ein bod yn gallu defnyddio'r un peiriannau. Yr her oedd cael yr ansawdd yn iawn. Mae'n eitha hawdd newid y blas, ond mae'n golygu cymaint o waith i gael ansawdd jyst reit. Fe wnaeth Jennifer bron gant o dreialon cyn gallu teimlo'n hapus ac yn hyderus ein bod wedi llwyddo i fwrw'r jacpot. Rwyn hoffi'r ymadrodd bachog, "Tregroes Waffles wedi mynd yn cracyrs!" Pwrpasol iawn!

Hyderwn fod trin y cwmser yn brofiad pleserus a bod ein cynnyrch yn cynnig pleser yn ogystal. Rhaid cofio na all unrhyw fusnes aros yn ei unfan. Rhaid newid o hyd ac o hyd. Pwy a ŵyr beth sy rownd y gornel? Beth yw'r dyfodol?

9

O'R TYWYLLWCH
I'R GOLEUNI

Wrth edrych yn ôl, mae mis Ebrill 2005 yn agor gormod o greithiau dolurus, yn cyffwrdd â gormod o deimladau dwys sy'n rhy ddwfn i'w hwynebu mewn geiriau. Hwn yw'r cyfnod pan gollon ni Ans, fy ngwraig, a'r merched yn colli'r fam orau yn y byd, yn 18 a 16 oed, ynghanol paratoadau arholiadau Lefel A a TGAU. Roedd y digwyddiad mor annisgwyl gan ei bod hi'n fenyw gref, yn ymwybodol iawn o'i hiechyd ei hunan a ninne fel teulu. Fe fyddai'n bwyta'n iach, yn cadw'n heini, heb ddioddef unrhyw salwch ac yn gweithio'n galed, galed.

Rwy'n sylweddoli erbyn hyn mor bwysig yw'r traddodiadau Cymreig wrth drin sefyllfa fel hyn a phrofiadau sy'n rhy ddirdynnol i chi fel unigolyn, neu fel teulu, i ddelio â nhw. Gweld bod rhannu'r profiad gyda chymdogion, ffrindiau a chysylltiadau yn ei wneud yn haws i'w ddiodde. Wrth gwrs fy mod yn cofio'r tristwch a'r golled, ond hefyd yn cofio'r gefnogaeth yn y gymdeithas a'r eglwys. Fel person o'r tu fas, doedd dim syniad gyda fi beth i'w ddisgwyl.

Roedd y bobol a oedd wedi cael profiad tebyg yn medru uniaethu gyda chi, yn gwybod sut i ymddwyn, beth i'w ddweud a beth i'w wneud. Roedd ganddyn nhw hefyd eu hanes i'w hadrodd, felly roedd yn gweithio'r ddwy ffordd. Byddwn i ddim yn dymuno'r profiad hwn i neb, ond ar ôl dod mas o'r profiad, rwy'n teimlo fy mod yn berson gwell, wedi datblygu ac yn medru gwerthfawrogi'r pethau sy'n bwysig mewn bywyd.

Ar ôl yr angladd roedd yr amser caled yn dechrau, fel pe bawn wedi cwympo i mewn i dwll mawr du. Cyn hyn, down i ddim yn sylweddoli bod ein bywydau mor glòs wrth ei gilydd. Roedd rhaid i ni ailddechrau byw a chymaint o bethau na wyddwn i ddim sut i'w gwneud. Am dri mis ar ôl yr angladd, down i ddim yn credu ei bod yn bosib o gwbwl i fyw heb Ans.

Yr hyn a wnaeth fwyaf o les i mi oedd cerdded. Cerdded i lacio'r cyhyrau ac i ryddhau'r tensiwn, Dyna'r ffordd orau ac yn raddol fe ddechreues i weld y byd yn bert unwaith 'to, y blodau, y caeau, y gwartheg a'r defaid. Pethau naturiol. Rown i'n mynd lan i'r fynwent bob dydd, yn pigo blodau gwyllt i'w gosod ar y bedd. Eistedd yno ar y bedd drws nesa, meddwl a meddwl am y byd, ceisio ailddysgu byw a chwilio am ystyr bywyd. Ceisio siarad â hi a gofyn am ei chyngor ond heb gael atebion. Dyna'r golled! Roedd yn fendith bod y fynwent jyst rownd y gornel a bod cyfle i fynd yno bob tro rown i'n teimlo'r angen i wneud hynny.

Bu raid i fi geisio mynd 'nôl i'r gwaith i Landysul,

ond bob tro rown i'n cwrdd â phobol rown i'n torri lawr yn syth. Fe fuodd criw'r gwaith yn rhyfeddol, gan wneud cymaint yn fwy na allwn i fyth ei ddisgwyl fel cyflogwr.

Fe fu Lyn Alltrodyn yn gymorth gwerthfawr iawn yn y cyfnod hwn. Fe ddeuai i drafod ambell broblem yn y gwaith gan ffurfio cysylltiad pwysig rhyngof i a thîm y waffls. Down i ddim yn barod i fynd yn ôl i'r gwaith, ac roedd Lyn yn gweithio gyda ni fel gyrrwr rhan amser ar ôl ei ymddeoliad gyda Western Power. Roedd yn deall yn iawn sut i redeg tîm y popty a sut i ddelio gyda fi. Wel, fe ddaeth y busnes drwy'r cyfnod anodd yn iawn ac mae'r profiad hwn wedi newid fy agwedd i tuag atyn nhw. Efallai na wnes i werthfawrogi digon ar eu cyfraniad cyn yr holl ddigwyddiadau cythryblus.

Fe fu'r cymdogion yn eithriadol o bwysig. Roedd sylw pawb yn ara bach yn diflannu, ond roedd y ffrindiau go iawn yn dal i ddod. Roedd Elwyn Rhiwlug yn galw bob dydd a Shirley Cottage yn hynod o gefnogol. Yn raddol daeth bywyd yn ôl i ryw fath o normalrwydd.

Beth fuodd yn help mawr oedd bod Janet Rock Mills yn aros i gael sgwrs fach ar ei ffordd i Geginan at y ceffylau, a Ian James bob amser yn aros i gael gair neu ddau ar ei ffordd i'w waith gyda'r cyngor. Beth oedd yn bwysig oedd bod pobol ddim yn teimlo'n swil neu'n ofnus wrth ddod ymlaen i siarad â chi. Mae rhaid i chi ddangos mai'r un person y'ch chi, hyd yn oed ar ôl y profiadau chwerw. Ambell waith fe fyddai ambell berson yn croesi'r hewl er mwyn osgoi siarad. Un peth hanfodol ddysges i yn ystod y cyfnod hwn oedd bod dim pwynt o gwbwl i chi wthio'ch hun i wneud gwahanol bethau. Mae'n well derbyn eich bod yn methu.

Beth am y dyfodol? Down i ddim yn teimlo fel dychwelyd i'r Iseldiroedd. Roedd rhai'n dangos diddordeb mewn prynu'r busnes. Wyddwn i ddim ar y ddaear beth i'w wneud, na ble i droi. A own i'n ddigon cryf i redeg y busnes ar ôl hyn? Cyngor fy nhad oedd yr un allweddol – "Als je niet weet wat te doen, doe niks!" ("If you don't know what to do, don't do anything!")

Ar ôl blwyddyn rown i'n gweld pethau mewn persbectif gwahanol, a rhimyn bach o olau'n dechrau ymddangos drwy'r tywyllwch. Y cyngor fyddwn i am ei roi i unrhyw un mewn sefyllfa debyg yw cymeryd un cam ar y tro. Paid gwneud pethau ti'n ffaelu eu gwneud a jyst derbyn pethau fel maen nhw'n dod. Cofia hefyd fod wastad rhai pobol sy'n waeth eu byd na ti dy hunan. Ymhen amser, mae'r corneli'n dechrau meddalu, y boen yn raddol leihau, ond dy'ch chi byth yn mynd i anghofio.

Yn ystod y flwyddyn gynta, rhaid i berson ddarganfod sut y mae'n teimlo, pan mae pethau'n digwydd am y tro cynta, megis dathlu pen-blwydd, dathlu Nadolig, neu ddathlu pen-blwydd priodas. Bob tro, mae'n rhaid aros i weld sut y'ch chi'n teimlo. Gweld sut y'ch chi'n ymdopi gyda'r golled pan na allwch chi rannu'ch profiadau gyda'r person oedd yn eich nabod tu fewn, tu fas, heb y person roeddech chi wedi rhannu popeth gyda hi dros yr ugain mlynedd cynt.

Fe roddes i gynnig ar fynd 'nôl i'r ymarfer côr nos Fercher ymhen tipyn. Roedd hi mor anodd rhagweld sut fyddech chi'n teimlo. Ond roedd hi'n llawer rhy gynnar, a bu raid i mi ohirio mynd am ryw ddau fis arall. Gan fy mod i'n hunangyflogedig, doedd dim rhaid i fi ddychwelyd i'r gwaith, ond o edrych yn ôl ar y cyfnod, mae'n ddigon posib y byddai'n well er fy lles pe bawn wedi gwneud. Pan aeth y merched yn ôl i'r ysgol rown i'n llwyr ar goll hebddyn nhw. Roedd 'da fi ormod o amser ar fy nwylo ac yn casáu bod ar fy mhen fy hun yn y tŷ heb y merched. Roedd rhaid mynd mas am wâc, cwrdd â phobol a chael cymaint o gefnogaeth.

Roedd llawer o bobol yn cynnig syniadau er mwyn helpu. Awgrymodd rhywun y byddai'n werth i mi gyflogi rhywun i lanhau'r tŷ, ond fedrwn i ddim diodde'r syniad o gael rhywun arall yn gwneud y gwaith. Roedd yr awgrym bod colli fy ngwraig yn golygu bod angen rhywun arna i i lanhau'r tŷ yn syniad gwrthun. Rwy'n hen ddigon abal i lanhau'r tŷ fy hunan. Yr hyn oedd yn wir anodd oedd eich bod wedi colli'r un person oedd yn eich nabod yn well nag unrhyw un arall, a'ch bod bellach yn methu rhannu eich hwyl, eich poen a'r pethau bach sydd wedi digwydd yn ystod y dydd gyda'ch gilydd.

Yr hyn a fu'n gysur gwirioneddol i fi oedd fy ymweliadau â Ken a Christine Reynolds, fy athrawon

canu, dau berson mor sensitif a doeth. Sgwrsio ac
yfed te a wnaethon ni i ddechrau. Yn raddol fe ges i fy
nghyflwyno i'r caneuon a oedd yn rhan o'u *repertoire*,
caneuon yn canolbwyntio ar deimladau trist,
teimladau dwys. Dyma'r cywair perffaith, yn cyfateb
i'r ffordd rown i'n ei deimlo ar y pryd. Yn raddol,
tynnwyd fy sylw at yr ochor dechnegol, a'r angen i
ganu gyda'r anadlu dan reolaeth. Cam ymlaen, cam
pwysig iawn wrth ddringo mas o'r twll du, tywyll.

Fe ddechreues i ganu caneuon hyfryd a thrist,
profiad a lwyddodd i ryddhau cymaint o boen. Roedd
canu *genre* fel hyn yn hollol therapiwtig, yn well na
chael cawod, ac yn gymorth i gael bywyd 'nôl ar y
reils. Rhyfedd iawn yw gweld y geiriau hyfryd a thrist
gyda'i gilydd, ond felly mae. Ry'n ni i gyd yn cael
profiadau trist, ac mae'n bwysig llacio'r teimladau a'r
tensiwn fel y medrwch deimlo'n well ar ôl rhyddhau'r
teimladau drwy ganu felly.

Fe fuodd y criw yn y gwaith yn rhyfeddol. Sut yn y
byd lwyddon nhw i gadw i fynd? Nhw wnaeth achub
y busnes pan na allwn i fod yno. Mae'n wir bod eu
swyddi yn dibynnu ar hynny, ond y fath ymdrech.
Arbennig! Arbennig! Fe gadwon nhw'r busnes i sefyll
ar ei draed a phrin bod y cwsmeriaid wedi sylwi'r
gwahaniaeth, fel pe bawn i wedi bod yno ar hyd yr
amser. Gwers arall i mi i'w dysgu oedd nad fi yw
popeth. Teimlo rhyw fymryn yn siomedig efallai.

Beth bynnag, ddeuddeng mlynedd yn ddiweddarach
ac rwy'n dal i werthfawrogi cyfraniad y criw ffyddlon
yn fawr iawn. Nawr rwy'n hynod o falch fy mod i wedi

gwrando ar gyngor fy nhad flynyddoedd yn ôl, a heb werthu'r busnes ar y pryd.

Gydag amser rown i'n teimlo'n fwy ysgafn, gan ddechrau gweld yr haul yn tywynnu. Ambell waith fe fyddwn yn teimlo'n well na'i gilydd, ac ar brydiau yn well na'r disgwyl. Fe awgrymodd Lyn o'r gwaith, ymhen tipyn, mod i'n dod 'nôl yn achlysurol er mwyn dechrau ailafael yn yr awenau, a mynd i'r banc i weld y cyfrifon. Yn ara bach daeth pethau fel hyn yn haws, ond nid heb lawer o ymdrech. Yr un oedd y broses wrth fynd yn ôl i'r côr, ac ymuno i ganu gyda nhw.

Pan fu farw fy nhad dair blynedd o flaen fy mam, fe sefydlodd fy mam a finne berthynas arbennig â'n gilydd yn ystod y cyfnod hwnnw. Fe fedrwn i uniaethu gyda hi yn ei galar am fy mod wedi cael y profiad chwerw o golli Ans. Gydag amser mae'r cof fel pe bai'n pylu ac yn hepgor y manylion mwya poenus, yr holl boen a'r dolur, fel rhyw gorneli miniog yn cael eu rhwbio a'r ymylon heb fod mor siarp. Rown i'n teimlo'n gryf 'mod i ddim am boeni'r merched gyda fy mhoen i, fel y gallen nhw fynd ymlaen gyda'u bywydau cystal ag yr oedd yn bosib, heb boeni'n ormodol am eu tad.

Erbyn heddiw mae galar wedi troi o fod yn broblem gymdeithasol i fod yn broblem feddygol gyda chwnselwyr proffesiynol yn gwneud y gwaith cynghori gydag unigolion a theuluoedd. Yn fy mhrofiad i roedd y gefnogaeth a gawson ni fel teulu gyda'r gymdeithas yn Nhregroes yn gwneud y gwaith yn effeithiol. Fe fyddai'r bobol o'ch amgylch yn eich cynnal drwy'r brofedigaeth, ac yna yn raddol yn llaesu dwylo er mwyn i chi ddechrau derbyn y sefyllfa newydd, a sefyll ar eich traed, ond yn dal i gadw llygad arnoch ar yr un pryd. Rwy mor falch a diolchgar am y cymorth a gawson ni gan bobol yr ardal. Mae'n teulu ni yn byw ymhell yn yr Iseldiroedd, ond mae'n ffrindiau a'r cymdogion agos wedi profi'n werthfawr iawn i ni fel teulu.

Wrth edrych yn ôl ar y cyfnod hwn, rwy'n teimlo bod y profiad wedi fy ngwneud yn berson cryfach, yn fwy meddylgar ac yn llai beirniadol. Er na fyddwn i'n dymuno'r profiad i neb arall, yn sicr mae wedi fy helpu i ddatblygu fel person sy'n medru gwerthfawrogi'r pethau pwysig mewn bywyd. Yn ara bach, gam wrth gam, roedd ansawdd bywyd yn gwella. Wrth gwrs, fydda i byth yn anghofio bywyd gydag Ans, a fydd pethau byth yr un fath. Ond erbyn hyn, mae'n gorffwys yn dawel mewn man bach arbennig ym mynwent Tregroes. A hebddi mae'n bosib ail-greu bywyd ac mae yna olau ym mhen draw'r twnnel.

10
DYN LWCUS, HYNOD O LWCUS!

Rown i'n adnabod Elonwy yn y cyfnod pan oedd Ans yn fyw, am ei bod wedi cyfeilio i Gôr Cwmann ers rhyw bymtheng mlynedd. Arferai chwarae'r organ yn Eglwys San Pedr yn Llambed a phan aeth Geraint Williams, cyfeilydd y côr ar y pryd, i'r coleg, awgrymodd ein bod yn gofyn i Elonwy wneud y gwaith. Pan fodlonodd hi roedd hi'n tybio mai canu emynau fyddai'r côr yn ei wneud gan amlaf. Roedd yn draddodiad gyda'r côr i gyflwyno noson gyfan o adloniant, gyda rhai o'r bois yn canu unawdau neu ddeuawdau, ac ambell waith fe fydden ni'n cael artist gwadd i roi perfformiad. Roedd Alec a fi'n unawdwyr, a gan ei bod yn teimlo'n nerfus wrth gyfeilio i ni'n dau, fe fynnai ei bod yn cael y copïau ymlaen llaw. Doedd hi ddim yn bles iawn pan na fyddai hyn yn digwydd, gan ei bod am baratoi'r darnau er mwyn bod yn gyfarwydd â'r eitemau a fyddai'n cael eu cyflwyno yn ystod y gyngerdd.

Ar ôl colli Ans arferwn fynd i siopa i'r siop organig yn Llambed, gan alw yn y garej, cartref Elonwy, er mwyn prynu petrol. Fe fyddai'n cynnig cwpaned o de ac ambell waith yn cynnal sgwrs. Ymhen tipyn fe ddechreues edrych ymlaen i gwrdd â hi a chael mwy a mwy o sgyrsiau.

Roedd sefydlu perthynas fel hyn yn hollol wahanol i ddau yn syrthio mewn cariad yn eu harddegau oherwydd erbyn hyn mae gan berson gymaint o hanes a chefndir. Roedd y creithiau ar ôl colli Ans yn dal yno o hyd, ond gydag amser, roedden nhw'n ychwanegu at y prydferthwch fel dwy ochr i'r un geiniog, ac fel petaen nhw'n ffeindio eu lle eu hunain yn ystod y broses. Mae'n rhyfedd sut mae person yn syrthio mewn cariad yn ei bumdegau heb sylwi. Roedd fel petai'n rhan o'r dolur neu'r boen, ac Ans yn rhan o'r un peth rywfodd.

Wrth syrthio mewn cariad am yr ail waith, y cyngor gorau a'r doetha yw un cam ar y tro, a defnyddio pwyll ac amynedd. Rhaid cymryd pawb sy'n agos atoch ar y daith gyda chi gan ystyried eu teimladau nhw yn ogystal. Down i ddim am wneud dolur i'r merched ac ar brydiau roedd hynny'n anodd. Roedd gofyn gwneud y dewis. Gorffen y berthynas neu symud ymlaen yn ara bach. Roedd hyn yn bwysig iawn er mwyn rhoi cyfle i bawb ymgyfarwyddo â'r sefyllfa newydd. Erbyn hyn roedd yn bosib i mi ddechrau ar y daith i gael partner newydd yn fy mywyd, ond yn amhosib i'r plant gael mam arall, ac roedd yn eithriadol o bwysig i osgoi sarnu'r berthynas rhwng y tad a'r merched.

Wrth gwrs roedd hwn yn gam mawr, mawr i Elonwy hefyd, gan ei bod yn byw gyda'i mam a'i chwaer, a dim un ohonyn nhw'n disgwyl i'r sefyllfa hynny newid.

Rhwng pawb a phopeth roedd llawer o waith datrys, ond mae amser yn profi ei hun yn amyneddgar, ac o dipyn i beth, roedd y ffordd ymlaen yn dechrau edrych yn fwy clir ac yn llai anodd.

Wyth mlynedd a hanner ar ôl i Ans farw, fe briodon ni, a gallai'r gwrthgyferbyniad rhwng y ddwy briodas ddim bod yn fwy. Roedd Elonwy am gael priodas draddodiadol ac fe wnes i fwynhau, wir fwynhau'r gwasanaeth a'r dathlu. Fe gawson ni wasanaeth yn yr eglwys yn Llambed, gyda'r côr yn cyfrannu.

Fe ddaeth nifer o bobol Tregroes, y teulu o'r Iseldiroedd a staff y waffls i ymuno â ni mewn parti bythgofiadwy yn y coleg yn Llambed. Fe gafodd Elonwy'r syniad gwych o ofyn i bawb ddod â'u dewis o gerddoriaeth gyda nhw i'r parti. Pleserus iawn oedd ein diwrnod arbennig ni ac fe wnaeth pobol siarad am fisoedd gymaint roen nhw wedi mwynhau'r achlysur. Rwy'n ddyn lwcus iawn.

Penderfyniad anodd iawn oedd dewis lle i fyw ar ôl y briodas. Doedd hi ddim yn deg i Elonwy ddod i Dregroes gan mai tŷ i Ans a fi oedd hwnnw. Wedi trafod a thrafod fe sylweddolon ni na fyddai byw yn Nhregroes yn rhoi cyfle i ni greu ein cartref ein hunain. Roedd yn benderfyniad mor galed a gyda chalon drom y gadewais i Dregroes a symud i Lambed. Ond erbyn hyn rwy'n sylweddoli bod bywyd gymaint yn well o fyw gydag Elonwy nag ar fy mhen fy hun. Roedd yn anodd iawn i mi fyw felly, nid oherwydd y coginio a'r glanhau. Y broblem oedd gorfod datrys problemau heb neb i drafod nac i ofyn am gyngor.

Rwy'n meddwl yr un fath â phawb arall, ond mae fel pe bai fy ymennydd yn gweithio'n well wrth fownsio syniadau at rywun arall, rhywun sy'n fy adnabod tu fewn, tu fas, gant y cant. Wrth gwrs, nid dyna'r unig reswm.

Roedd symud i Lambed fel bod ar wyliau ac rwy wir yn mwynhau byw yma. Cael bara ffres twym bob dydd Sadwrn. Cymaint o bobol rown i'n eu nabod yn y dre, efallai drwy'r cysylltiad gyda'r côr. Penderfyniad pwysig arall oedd fy mod i am fyw mewn tŷ ar ei ben ei hun, ac nid un a oedd yn sownd wrth dŷ arall.

Rwy'n teimlo'n gryf bod pobol yn bihafio'n well os oes tipyn o libart o'u cwmpas nhw. Dyw e ddim yn gweithio'n dda pan fo pobol yn byw yn rhy agos i'w gilydd. Gyda'r canu, a'r angen i dyfu ein llysiau ein hunain, roedd yn bwysig cael tŷ gyda thipyn o dir i ymlacio. Fe fuon ni'n lwcus iawn i ddod o hyd i dŷ hyfryd, gyda chymdogion cyfeillgar.

Cam mawr oedd symud o Dregroes i Lambed ond dim ond deuddeng milltir yw'r pellter wedi'r cyfan. Y dyddiau hyn mae'n ddigon hawdd cadw cysylltiad gyda'r ffrindiau agos yn y pentre lle roen i wedi byw ers dros ddeg ar hugain o flynyddoedd.

Diddorol iawn yw sylwi sut y mae perthynas rhwng pobol mewn tre yn wahanol i'r berthynas rhwng pobol mewn pentre bach cefen gwlad. Roedd y cysylltiad gyda chymdogion yn Nhregroes yn hollol wahanol, gyda phobol fel teulu Rhiwlug a'r Cottage yn ymwybodol iawn o'n symudiadau ni. Rydyn ni wedi ymgartrefu'n dda yn Llambed ac yn teimlo bellach fel pe baen ni wedi byw yma am sbel go hir. Rwy'n gyfarwydd â bod yng nghanol pob bwrlwm ac, os rhywbeth, yn fwy prysur nag erioed.

Yn Nhregroes, gan ein bod yn byw yng nghanol y pentre, pan ddeuai rhywun heibio, fe fydden yn aros am sgwrs, ac ambell waith, am glonc go hir nes bod y car nesa'n dod heibio, ond mae'r bobol yn y dre yn hoff iawn o fynd am dro i'r siopau a mynd allan i gymdeithasu hefyd. Yn aml iawn maen nhw'n cymryd amser cyn dod 'nôl a thipyn o fusnes diddorol iawn yn cael ei drafod yn y cyfamser.

Mae rhai o'r hen bethau yn dal gyda ni yn Llambed, fel yr ieir yn yr ardd a'r wyau ffres ar gael yn gyson. Mae'r gath wedi symud o Dregroes ac wedi ymdopi â'r ffordd newydd o fyw gyda brwdfrydedd. Mae simnai'r tŷ'n ôl ar y to er mwyn cael tân hyfryd yn y stafell fyw, tân go iawn. Dim byd gwell. Ac wrth gwrs, mae gyda ni ddigon o le i'r merched ddod i aros.

Yr her fwyaf oedd seiclo i Landysul i'r gwaith. Bu rhaid i mi wneud hyn er mwyn cadw'n heini ac i glirio fy mhen. Rown i'n gyfarwydd iawn â seiclo o Dregroes i'r gwaith yn Llandysul, ond dim ond tair milltir a hanner oedd y pellter, a'r unig riw anodd oedd yr un ar dop y pentre, eitha serth ond ddim yn hir.

Y tro cynta, es i ar hyd y briffordd, heb sylweddoli bod rhiw Llanwenog i'w goresgyn. Wrth deithio mewn car, dy'ch chi ddim yn ymwybodol o'r llethr. Hanner ffordd lan y rhiw, bu'n rhaid i mi gerdded gan na fedrwn i aros ar gefn y beic nes cyrraedd y top. Bu rhaid gorffwys wrth yr iet am ugain munud i feddwl yn hir am fy holl bechodau cyn wynebu gweddill y lôn serth. Dyna'r tro cynta a'r tro ola i mi seiclo lan ar hyd rhiw Llanwenog. Rwy'n mwynhau seiclo, ond bois bach, dyna beth oedd artaith.

Y tro nesa fe es i ar hyd llwybr arall, seiclo i Lanwnnen, yna i Lanybydder, Dolau Bach ac ymlaen i fanc Llanfair, dros y bont a chyrraedd y gwaith ar ôl awr a chwarter. Rwy'n ceisio gwneud y daith un ffordd ar y beic unwaith y dydd yn yr haf, unwaith yr wythnos yn y gaeaf. Ar y ffordd mae yna fryniau llai na rhiw Llanwenog ac rwy'n gallu cadw i fynd. Yn aml iawn, rwy'n meddwl 'mod i'n ddyn mor lwcus, yn gallu mynd i'r gwaith ar gefn beic mewn ardal anhygoel o brydferth. Rwy'n medru gweld yr haul yn codi a chlywed yr adar yn canu, gan deimlo mor gyfoethog.

Braf oedd teithio i'r Iseldiroedd er mwyn i Elonwy gael cyfle i gwrdd â'r teulu. Cafodd gyfarfod â fy nhad un waith cyn y bu farw, a Mam ddwy waith y flwyddyn. Fe lwyddodd hi i ddysgu tipyn o'r Iseldireg i Elonwy ac roedd hi'n braf eu gweld yn cynnal sgwrs syml gyda'i gilydd. Roedd hi'n bwysig iddi gael cyfle i weld pa fath o gefndir oedd gyda fi a pha fath o nyth y magwyd fi ynddi. Mewn sgwrs gyda grŵp o bobol roedd hi'n amhosibl i Elonwy ddilyn, ac yna'n gorfod troi i'r Saesneg. Sefyllfa sy'n ddigon tebyg yng Nghymru. Serch hynny roedd hi'n braf i weld fy mam ac Elonwy yn llwyddo i gyfathrebu rhywfaint yn yr iaith frodorol.

Ennill y Rhuban Glas, Eisteddfod Genedlaethol Y Fenni, 2016.

Côr Cwmann ar ddiwrnod priodas Elonwy a finne.

Baneri ar y lawnt, ar ôl dod adre o Eisteddfod y Fenni.

Gyda Robyn Lyn yn Felin-fach, yn y cyngerdd i ddathlu ennill y Rhuban Glas.

Y daith i Awstralia:

WELCOME - CROESO

Welcome - Croeso!

The Gymnafa Ganu (community singing) is one of the great elements of Welsh culture when we sing in joy and praise the grand hymns of our tradition. Yes, some of the words are in Welsh but don't let that intimidate you John Wesley encouraged his people to "Sing lustily and with good courage!" and we wouldn't want you to do anything less. Wesley also warned that when singing "do not bawl" but listen to those around you. With this distinctive mixture of confidence and attentiveness we are able to pick up from those around us the accents of the Welsh language and blend our voices in a melodious sound. If that connection really develops we can feel the hwyl, the spirit, in the meeting and our hearts lift and we take the singing with us into the week ahead.

We welcome a new Conductor this year. We are privileged to have with us Mr Edward-Rhys Harry, one of the most distinguished choral conductors in Wales. He commenced his career as organist and conductor at a very young age and has extensive training and expertise in a wide range of disciplines in music, voice and production. You can read of his many accomplishments and honours in this program.

Together with Edward-Rhys we welcome our guest soloist Kees Huysmans. I know some of you will wonder from which part of Wales that name originates but Kees was born in the Netherlands and moved to Wales in 1981. Three times he has won the Bass solo competition in the National Eisteddfod and in 2016 won the prestigious Blue Riband. We welcome Kees and his wife Elonwy to Melbourne and to the Gymanfa Ganu.

But visiting conductor and soloist, distinguished though they be, can only do so much without choirs and musicians. We have five choirs and their Musical Directors with us today - Australian Welsh Male Choir (Tom Buchanan), Cantorian Cymraeg Victoria Welsh Choir (Faleiry Koczkar), Excelsis (Tom Buchanan), Geelong Ladies Welsh Choir (Stephanie Gumienik) and the Melbourne Welsh Male Choir (David Ashton-Smith). Again our organist is Mr Rhys Boak, the harpist Mr Huw Jones and our brass and timpani ensemble comprises Ms Wendy Couch, Mr Matthew Ayres and Mr Robert Harry. We welcome them all and look forward to what they contribute to the Gymanfa Ganu.

The theologian Soren Kierkegaard held that the real performers in any worship event are the congregation - all the musicians, conductors, clergy and choirs are merely the prompters and 'encouragers' sent to assist them. So when we welcome YOU, the members of the congregation, it is not as the last and the lowest in the list, but as the ones who are most important. The measure of a Gymanfa Ganu is what happens with the voices, the minds and the hearts of the congregation. As we sing together may you experience the mystery and the joy of worship and know the presence and the power of Jesus Christ.

Gras a heddwch,
Jim Barr

Canu yn y gymanfa ym Melbourne.

Melbourne Welsh Church

ST. DAVID'S DAY GYMANFA GANU 2017

St. Michael's Uniting Church
Sunday, February 26
3:00pm

Conductor:	Mr. Edward-Rhys Harry
Soloist:	Mr. Kees Huysmans
Organist:	Mr. Rhys Boak
Harpist:	Mr. Huw Jones

Brass and Timpani Ensemble:

Ms. Wendy Couch - timpani
Mr. Matthew Ayres - trumpet
Mr. Robert Harry - trumpet

Choirs:

Australian Welsh Male Choir
    Musical Director: Tom Buchanan

Cantorion Cymreig Victoria Welsh Choir
    Musical Director: Faleiry Koczkar

Excelsis
    Musical Director: Tom Buchanan

Geelong Welsh Ladies Choir
    Musical Director: Stephanie Gumienik

Melbourne Welsh Male Choir
    Musical Director: David Ashton-Smith

Edward Rhys-Harry, Elonwy a finne ym Melbourne.

Elonwy a finne gyda Christine, yr un a drefnodd y gymanfa yn Awstralia.

Elonwy – fy ngwraig,
fy nghyfeilydd.

Edward, Elonwy a finne
yn ymlacio.

Wrth gwrs mae gan Elonwy a finne gysylltiad pwysig arall, sef cerddoriaeth. Mae wedi bod yn rhan o fy llwyddiant cerddorol i. Am ein bod ni wedi gweithio gyda'n gilydd ar y darnau eisteddfodol a chael y cyfle i'w hymarfer nhw bob dydd yn ein cartre, fe gyfrannodd hynny, siŵr o fod, at safon fy mherfformiad ar lwyfan y Genedlaethol yn 2016. Yn ogystal, mae'r ffaith fy mod mor hapus fy myd yn golygu fy mod yn gallu rhoi o 'ngorau mewn unrhyw berfformiad.

Mae priodi wedi bod yn gam mawr iddi hithau gan ei bod yn gorfod cymryd y teulu gyda'i gilydd – Fflur a Kyna, y cwmni Tregroes Waffles, heb sôn am y digwyddiadau cymdeithasol yn Nhregroes, yn ogystal â chael ei derbyn i mewn i'r gymdeithas honno hefyd. Mae bywyd priodasol yn grêt pan wyt ti'n caru, gyda phob un yn bihafio ar ei orau. Ond, ar ôl amser, mae'r cyfnod hwn yn newid i raddau a phopeth yn normal unwaith 'to. Erbyn hyn mae'r merched yn sylwi fy mod i'n ailddechrau byw ar ôl i gryn dipyn o ddŵr lifo o dan y bont. Mae'r ddwy yn fy ngweld yn hapus â chymaint o fendithion yn dilyn. Fydda i ddim yn gyfrifoldeb iddyn nhw mwyach.

Wel! Os yw Elonwy hanner mor hapus â fi ar ôl priodi ac o fyw gyda'n gilydd, rwy'n ddyn ples tu hwnt, tu hwnt o bles! Odw, rwy *yn* ddyn lwcus, hynod o lwcus!

11
Y RHUBAN GLAS

Mae noson ola'r Eisteddfod wedi cyrraedd ar ôl yr holl berfformio, yr holl gystadlu, a'r pedwar ohonon ni'n sefyll yn yr hanner tywyllwch y tu ôl i lwyfan mawr y pafiliwn. Ar y Maes mae gwŷr y stondinau yn dechrau tynnu'r pebyll i lawr gydag wythnos o waith caled, y mwynhad a'r ddrama'n dod i ben. Mae'r tri beirniad yn cerdded heibio, gyda gwên ar eu hwynebau, heb ddweud unrhyw beth. Y cyflwynydd yn gwahodd y cadeirydd a'r beirniaid i'r llwyfan i draddodi'r feirniadaeth. Nodiadau cyffredinol i ddechrau am eu profiadau personol nhw ar hyd yr wythnos, am safon y canu, ymlaen ac ymlaen.

Mae'r pedwar ohonon ni – Efan Williams, y tenor ifanc o Ledrod, crwt rown i'n dwlu ar ei lais; Kate Griffiths, y soprano o Gorwen, gwraig fferm gyda llais hyfryd disgybledig a phrofiadol, a Rachel Moras o Abertawe, y mezzo nad own i'n ei hadnabod – yn sefyll gyda'n gilydd yn y cefn, yn aros am y gair mawr, y canlyniad. Dyma'r rheswm pam ry'n ni'n pedwar wedi mynd i'r gwersi canu ar hyd y blynyddoedd, y gydnabyddiaeth mae pob un ohonon ni'n gobeithio ei derbyn.

Yna mae'n dechrau trafod yn fanwl y pedwar dehongliad sydd wedi cael eu cyflwyno, ac yn canmol pob un ohonon ni. O'r diwedd, mae'n tawelu, a'r tensiwn yn codi. Pwy yw e? Dim ond enw'r enillydd sy'n cael ei gyhoeddi. Fy enw i yw e! Mae'r lleill yn fy llongyfarch. Teimlad od iawn. FI? Y bachgen o dramor wedi ennill yr anrhydedd fwya y gall unrhyw amatur yng Nghymru ei hennill? Ffaelu credu'r peth.

Rwy'n cerdded lan i'r llwyfan lle'r wyf wedi canu gymaint o weithiau erbyn hyn, ond nid i ganu, jyst i glywed y gynulleidfa yn sgrechen a chymeradwyo o'm hachos i. Fi wedi ennill y RHUBAN GLAS!!! Rown i wir yn teimlo'n ostyngedig. Ar hyd y blynyddoedd, rwyf wedi ennill a cholli ar nifer o lwyfannau, ond erioed wedi cael yr un profiad a'r un teimlad â phan gyhoeddon nhw fy enw i, a phan gerddes i lan i'r llwyfan.

Rhyw fis ar ôl yr Eisteddfod fe ges i lun wedi ei roi mewn ffrâm gan Bwyllgor Ysgol Tregroes i ddathlu'r llwyddiant, llun gafodd ei dynnu yn syth ar ôl i mi dderbyn y Rhuban Glas, ac mae'n cyfleu'r holl deimladau sydd wedi llifo drosof i fel rhaeadr. Fel arfer, rwy'n casáu lluniau ohono i, ond rwy'n mwynhau'r llun arbennig hwn ac yn ei drysori'n fawr.

I bob eisteddfodwr brwd, mae ennill y Rhuban Glas yn rhywbeth sbesial iawn, iawn, rhywbeth fel pencampwr y pencampwyr mewn chwaraeon, y gorau o bob brid yn y sioe, neu gwpan aur y sioe flodau. Ond yn wahanol iawn i fyd y campau does dim llinell derfyn i'w chroesi neu naid uchel i'w chyrraedd. Mae cymaint yn dibynnu ar chwaeth y beirniad. A dyma un o'r rhesymau pam y mae tîm o feirniaid wastad yn beirniadu'r canu. O bryd i'w gilydd rwy'n teimlo 'mod i wedi cael hwyl wrth ganu rhyw ddarn. Ambell waith fe fydd y beirniad yn digwydd cytuno, bryd arall mae'n hollol fel arall. Felly mae dysgu colli yn hollbwysig, ac i fi, o ran y perfformiad, mae'r cyfeilydd yn llawer pwysicach na'r beirniad, gan ei fod ef/hi yn gallu effeithio cymaint ar y cyflwyniad a'r dehongliad.

Gan fy mod i wedi ennill yr Unawd Bas bedair gwaith, mae'n dilyn fy mod i wedi cael cynnig ar y Rhuban Glas bedair o weithiau. Y tro cynta wnes i roi cynnig arni oedd yn Eisteddfod Meifod. Down i'n amlwg ddim yn mynd i ennill a heb fod yn awyddus iawn i wneud. Roedd y gân yn rhy uchel a'r rhan ola'n fwy addas i denor nag i lais bariton. A finne'n eitha ifanc a dibrofiad ar y pryd, down i ddim yn debygol o lwyddo ac wrth gwrs roedd y beirniaid yn cytuno. Yr ail waith, yn fwy awyddus, ond heb fod yn llwyddiannus, a jyst derbyn nad own i'n ddigon da. Y trydydd tro, dim gwobr, a theimlo nad own i'n amlwg yn ei haeddu.

2016, y pedwerydd tro i mi gystadlu, y pwyllgor oedd yn dewis y darnau gosod. Ar ôl bod yn canu ar y gylchdaith eisteddfodol ers 1997 gwelir bod tuedd i ailadrodd y darnau gosod, ambell aria yn llawer amlach na'r lleill. Y darn yn 2016 oedd 'Ni'm Carodd i Erioed' allan o'r opera *Don Carlos* gan Verdi, darn rown i wedi ei ganu sawl gwaith yn y gorffennol.

Fel y dywed Syr Geraint Evans yn ei hunangofiant, mae'n bwysig eich bod wedi meistroli'r darn yn hollol drylwyr, a'i fod wedi treiddio o dan eich croen. Darn pwerus dros ben. Stori am Phillip, Brenin Sbaen yn awyddus i briodi tywysoges o Ffrainc. Yn anffodus doedd hi ddim yn ei garu. Roedd yntau'n ffaelu cysgu o'r herwydd, yn methu deall ac wedi blino ar fywyd.

Fel arfer rwy'n cael mwy o lwyddiant wrth ganu cân yn y modd trist, diflas. Roedd yr aria yma'n drist ac yn ddiflas, ond yn ddiddorol iawn, ddiwedd mis Awst, fe wnes i gyfarfod â Geraint Hughes – beirniad, cyfansoddwr, ac athro canu o ogledd Cymru. Yn ei farn ef, roedd gan y brenin Phillip o Sbaen bethau llawer mwy pwysig i boeni amdanyn nhw. O bosib, rown i'n dehongli'r aria mewn ffordd rhy ddramatig a thrist. Ei deimlad ef oedd bod y brenin wedi colli cwsg dros bethau llawer mwy difrifol a aeth o'i le yn ei wlad yn hytrach na rhywbeth ysgafn fel hyn. Mae hyn yn dangos barn rhywun deallus a oedd yn gwbwl groes i'r hyn rown i'n ceisio ei gyfleu.

Down i erioed wedi clywed am y gân Gymreig a oedd yn ddarn gosod, sef 'Cyfoedion Cofadwy' gan John Owen Jones, cân a oedd yn cyfeirio at y Rhyfel Byd Cyntaf. Er fy mod i'n hoffi'r gân rown i'n gobeithio dod o hyd i recordiad o rywun yn ei chanu, ond methiant fu'r ymdrech. Roedd y rheolau wedi newid y tro hwn. Roedd disgwyl i ni ganu'r un caneuon drwy'r gystadleuaeth gyfan. Fel arfer, roedd tri llais gwrywaidd – tenor, bariton a bas – a thri llais benywaidd – soprano, mezzo soprano ac alto. Eleni,

pedwar oedd yn cystadlu yn lle chwech gan fod y
lleisiau isel wedi eu cyfuno, y bariton a'r bas, a'r alto
a'r mezzo, gyda phob llais yn canu eu cân eu hunain.

Canlyniad y newidiadau oedd bod llai o ddewis o
ddarnau i ni fel baswyr. Gyda'r rhan fwyaf o'r darnau,
roedd y nodau top yn rhy uchel heb i mi swnio fel
ceiliog wedi cael ei grogi. 'Cyfoedion Cofadwy' oedd
yr unig ddarn o fewn cwmpawd cyffyrddus i fy llais i.
Wrth fynd ati i ddysgu'r darn, yn raddol rown yn dod
i'w hoffi, gan ddechrau gyda'r naws angladdol trwm,
dwfn, ond roedd y neges yn bositif: beth bynnag sy'n
digwydd, rhaid wynebu'r dyfodol a symud ymlaen yn
obeithiol.

Yn y gorffennol, pan oedd chwech dosbarth yn
cystadlu am y Rhuban Glas, roedd gwahanol feirniaid
yn beirniadu'r gwahanol ddosbarthiadau, gan ddod
at ei gilydd erbyn y gystadleuaeth ola, sef y Rhuban
Glas. Roedd y sefyllfa yn unigryw yn 2016. Dim ond
pedwar llais a phob un yn gorfod cyflwyno darnau
gosod. Y fantais o wneud hyn oedd bod yr un tri
beirniad yn gorfod mynd i bob rhagbrawf, a phob
llais yn cael ei glywed sawl gwaith gan yr un bobol.
Mwy o gyfle felly i ddangos nerth a gwendidau pob
cystadleuydd.

Efallai wrth edrych yn ôl iddi fod yn bosibl
datblygu rhyw fath o berthynas gyda'r beirniaid
a'u bod hwythau wedi cael rhyw syniad ohono i fel
canwr. Fe wnaethon nhw'r dewis iawn (wrth gwrs!),
penderfyniad sydd wedi agor drws a rhoi cychwyn
ar gyfnod newydd, cyffrous yn fy mywyd. Yn yr un

flwyddyn hefyd, beth bynnag oedd y rheswm, roedd y beirniaid yn llawer mwy parod i drafod gyda'r cystadleuwyr, yn wahanol iawn i'r arfer. O'r diwedd roedd y beirniaid yn deall cerddoriaeth!

Cyn mynd i'r Eisteddfod fe gofies i eiriau Syr Geraint Evans, bod rhaid canu pob cân o leia ddeuddeg o weithiau cyn ei meistroli'n iawn. Yr hyn wnes i oedd canu'r aria drwy'r flwyddyn ym mhob eisteddfod, e.e. Llambed, Aberteifi, a Phontrhydfendigaid. Yna sylwi ar ymateb y gynulleidfa, edrych am wendidau a cheisio gwella'r dehongliad a'r cyflwyniad bob tro.

Un o'r beirniaid oedd Eric Roberts, a oedd yn cyflwyno sylwadau penodol, manwl yn ei feirniadaeth. Y lleill oedd Jeremy Huw Williams a Leah Marian Jones. Erbyn y gystadleuaeth rown i wedi penderfynu 'mod i'n mynd i fynd allan i ganu fel pe bawn i mewn cyngerdd.

Rown i'n ffodus iawn i gael Meirion Wynn Jones fel cyfeilydd, person sy'n byw yng Nghaerfyrddin ac yn cymeryd ei grefft yn hollol o ddifri. Iddo ef, roedd yr un mor bwysig ag i finne ein bod ni'n paratoi cystal â phosib. Gan ein bod yn byw yn weddol agos, mater hawdd oedd trefnu ymarferion. Yn ystod y cyfnod o gydweithio hwylus, fe gawson gyfle i drafod y darnau, y dehongliad, a'r naws roen ni'n ceisio ei greu. Hyfryd oedd y teimlad o gydweithio, cydsymud a sylwi ein bod yn deall ein gilydd ac yn mynd i'r un cyfeiriad. Mae'n berson sy'n ddyn agored i syniadau, ac rown i'n llawer hapusach ar ôl y cydweithio.

Ar ôl y paratoadau gartre, roedd yn werthfawr cael awr o ymarfer cyn y gystadleuaeth mewn rhyw fath o gaban gwrthsain, gyda phiano. Fel cantorion, mae'n bwysig cael y cyfle i gynhesu'r llais, mynd drwy'r darnau jyst i gadarnhau bod popeth yn iawn, cyn brwydro am y brif wobr ar y llwyfan.

I raddau mae'r cyfryngau a'r teledu yn rheoli'r Eisteddfod. Rhyw awr cyn y gystadleuaeth rhaid cofrestru gyda swyddogion yr Eisteddfod i ddatgan ein bod yn barod i gymeryd rhan ac fe gewch nifer fawr o gwestiynau am eich cefndir. Mae'r wybodaeth yn cael ei throsglwyddo i fois y teledu ac yna i'r beirniaid answyddogol yn eu seddau cyffyrddus yn y stiwdio. Manylion am bwy sy'n eich dysgu, pa fath o syniadau sydd gyda chi ynglŷn â datblygu eich gyrfa gerddorol, ac yn y blaen. Mae'n bwysig bod yr 'arbenigwyr' yn gallu datgelu ffeithiau diddorol amdanoch er mwyn diddanu'r gynulleidfa fawr sy'n gwylio'r teledu neu'n gwrando ar y radio. Mae'n anodd iawn cymeryd y sefyllfa yn rhy ddifrifol.

Fe fuon ni'n trafod rhywbeth hollol amherthnasol – yr ieir oedd wedi diflannu o 'nghartref yn Llambed. Y beirniaid answyddogol yn y stiwdio oedd Robin Lyn a Iona Jones, dau rwy'n eu hadnabod yn dda iawn, ac wedi canu a chymdeithasu gyda nhw. Tu fas i'r Eisteddfod efallai na fydda i'n dod i gysylltiad â nhw yn aml, ond rwy'n cofio'r ddau yn cystadlu ac yn ennill y Rhuban Glas, ac wrth gwrs, maen nhw'n fy adnabod i. Fe fuon nhw hefyd yn gwneud eu gwaith cartre yn y rhagbrofion, er mwyn darganfod pwy yw pwy a beth yw beth. Yn ffodus, mae'n debyg eu bod wedi cytuno gyda'r beirniaid swyddogol.

Tu fas i'r rhagbrawf mae pob canwr yn meddwl mai ef neu hi yw'r gorau. Rhai'n cytuno a'r lleill yn anghytuno. Mae yna naws unigryw yng nghanol yr holl fwrlwm. Rwy'n mwynhau'r awyrgylch a'r cymdeithasu. Down i ddim wedi disgwyl ennill. Wedi'r cyfan, rown i wedi cystadlu dair gwaith yng nghystadleuaeth y Rhuban Glas ac yn ddigon parod i dderbyn nad own i'n ei haeddu.

Pan ddaeth y canlyniad rown i'n teimlo rhyw falchder ac yn mwynhau'r teimlad mai dyma'r tro cynta i fi fel bachgen o dramor gyflawni'r gamp o ennill y gystadleuaeth sbesial hon. Ar ôl diolch yn gynnes i'r beirniaid, rown i'n cael fy arwain yn syth y tu ôl i'r llwyfan, yn nwylo'r cyfryngau ac yn cael fy ngwthio i ryw gornel ar gyfer cyfweliad. Rown i'n gallu gweld Elonwy a grwpiau o ffrindiau yn awyddus i fy llongyfarch, ond doedd dim hawl 'da fi i siarad â nhw.

Roedd bois y teledu wedi fy nal yn eu crafangau ac yn awyddus i wneud cyfweliad byw er mwyn cyfleu'r argraff gynta o enillydd Rhuban Glas Eisteddfod y Fenni, 2016. Heb ddod dros y sioc o ennill, fy ymateb cynta oedd, "Rwy'n gwybod mai cymeryd rhan sy'n bwysig ond, o sh—, mae'n deimlad da i ennill." Daeth y rebel yn Kees Huysmans mas yn fyw ar y teledu, heb obaith golygu dim arno. Hyn, yn fwy na dim byd arall, a gafodd y sylw yn ystod y diwrnodau canlynol.

Ar ôl rhyw ugain munud roedd fy nghefnogwyr yn

dal i aros amdana i, pawb yn awyddus i'm llongyfarch a bod yn rhan o'r dathlu. Roedd nifer o bobol yn dal yno – ffrindiau, pobol yr Eisteddfod, cyd-weithwyr, cyd-gystadleuwyr, pawb eisiau bod yn rhan o'r profiad o ennill y Rhuban Glas. Dau ffyddlon fel arfer a fynnodd fy llongyfarch oedd Iwan Coedfaerdre, Pontsiân, a Calvin o Lanfihangel-ar-Arth, dau o bileri hoffus cefn gwlad. Teimlad arbennig yn wir.

Roedd hi'n dwym iawn, ac wrth gwrs, rown i'n dal i wisgo'r DJ. Dyna pam roedd hi'n braf cael newid dillad a mynd allan i gael tipyn o awyr iach. Erbyn hyn roedd y gweithwyr yn brysur yn datgymalu'r pafiliwn, oherwydd bod yr Eisteddfod wedi dod i ben. Ar ôl newid, roedd y sefyllfa dipyn bach yn afreal, gan fod y dorf wedi mynd a dim ond Elonwy, fy ngwraig, yn disgwyl amdana i. Heblaw amdani hi roedd y lle'n wag.

Down i ddim yn siŵr iawn beth i'w wneud gan fod pawb wedi diflannu. Awgrymes fynd i ardal y bar, reit ochor draw'r Maes, gwaith cerdded o bump i ddeng munud. Wrth y bar, roedd aelodau o'r corau meibion oedd wedi bod yn cystadlu yn dathlu ac yn awyddus i brynu peint i fi. Dyna naws hyfryd, pawb am fy llongyfarch. Roen nhw'n gwybod yn barod ac yn mynnu fy mod i yn gwisgo'r Rhuban ac fe ddechreuodd y dathlu. Yno y cwrddes i â Ffion Haf, enillydd y Rhuban Glas yn 2015, a soniodd hi am y profiad o fynd i Melbourne ac am yr amser da a gafodd gyda'i rhieni a Rhys Meirion yn ystod y daith. Yng nghanol yr holl gyffyffl, rown i heb sylwi mai rhan o wobr y Rhuban Glas yw'r fraint o gael gwahoddiad i fynd i ganu fel artist gwadd mewn cymanfa ganu yn Eglwys Gymraeg Melbourne.

Cyrraedd adre wedyn yn hwyr y nos i weld baner fawr o flaen y tŷ, balŵns dros y lle a baner Draig Goch fawr ar y lawnt. Bois bach, roedd yna fwrlwm a ffws. Yn llythrennol, y bore Sul canlynol, roedd y ffôn yn canu'n ddi-baid o wyth o'r gloch y bore hyd naw o'r gloch y nos. Down i ddim wedi dychmygu bod ennill y Rhuban Glas yn beth mor fawr. Mor fawr! Bob dydd ar ôl hynny, mae'r peth yn anhygoel, gyda phobol yn dal i fy atgoffa, yn dal i'm llongyfarch, hyd yn oed pobol nad own i erioed wedi eu cyfarfod cyn hynny. Anodd iawn mynd i siopa i Lambed, gan fod cymaint o bobol am eich sylw, am eich llongyfarch ar ôl gwylio'r gystadleuaeth ar y teledu.

Mae'r Rhuban Glas wedi newid fy mywyd. Fel arfer, mae'r byd eisteddfodol yn ailddechrau ar ŵyl y banc yn ystod mis Awst, gydag eisteddfod Llambed, ond eleni, doedd dim cystadlu i mi. Yn rhyfedd iawn, y beirniad oedd Iona Jones. Fe wnes i dynnu ei choes a dweud fy mod i am gystadlu. "Mentra di, you dare," oedd ei hymateb. Serch hynny fe ges i'r fraint o ganu 'Cân y Cadeirio'. Roedd rhaid derbyn mai jyst cefnogi oedd fy rhan i mwyach a bod y cystadlu wedi gorffen am y tro.

Fe ddechreuodd pobol drefnu partïon i ddathlu'r llwyddiant. Fe wnaeth Côr Cwmann, wrth gwrs, sbloets arbennig, gyda chacen fawr, penillion, a lluniau o'r dathliadau. Yr un peth yn Nhregroes, gwahoddiad i gyfarfod, ac yn fy nghroesawu, roedd gwledd o fwyd, gyda'r pentre i gyd yno i ddathlu gyda ni. Down i wir ddim yn disgwyl y fath adwaith. Yn ystod yr wythnosau cynta, fe dderbynion ni dros gant a hanner o gardiau llongyfarch. Mae'r holl gardiau a'r penillion yn cael lle anrhydeddus yn ein tŷ ni, i fy atgoffa o gyfnod rhyfeddol 2016, pan enillodd y boi o'r Iseldiroedd y wobr fwya yng ngŵyl bwysica Cymru fach.

Erbyn hyn mae'r gwahoddiadau'n dod yn gyson i ganu mewn cyngherddau. Canu, dyna'r hyn rwy wir yn ei fwynhau. Rhan o'r wobr yn gysylltiedig â'r Rhuban Glas, fel y sonies, yw'r gwahoddiad i ganu mewn cymanfa ganu ym Melbourne i ddathlu Dydd Gŵyl Dewi. Fe fydd arweinydd Côr Llundain yn teithio gyda ni. Rwy'n edrych ymlaen at gyflwyno rhai o'r emynau Cymraeg hyfryd rwyf mor hoff o'u canu, a chlasuron Cymraeg fel 'Craig yr Oesoedd', 'Aros Mae'r Mynyddau Mawr' ac 'Y Dymestl'. Caf y fraint o gael fy nerbyn yn aelod o'r Orsedd, a'r anrhydedd o ganu 'Cân y Cadeirio' yn yr Eisteddfod yn 2017. Digon o bethau i edrych ymlaen atyn nhw.

Daeth cais o Theatr Felinfach yn gofyn i mi drefnu cyngerdd i ddathlu llwyddiant y Rhuban Glas, a chawson ni noson arbennig, gyda Chôr Cwmann wrth gwrs. Robyn Lyn oedd yr artist gwadd a John Clocs fel arweinydd. Cymaint o sbri. Cyfnod anhygoel yn fy mywyd i.

Pan golles i Ans, fy ngwraig gynta, a finne'n teimlo bod fy mywyd i drosodd hefyd, pwy yn y byd fyddai wedi rhagweld y byddwn ymhen deuddeng mlynedd yn gweld bywyd yn ailgydio ac yn goleuo. Pwy fyddai'n rhagweld y byddai fy mywyd, nid yn unig yn ailgydio, ond yn datblygu'n heulog, heulog iawn? Rwyf wedi cyrraedd uchafbwynt fy ngyrfa gerddorol, ac wedi priodi Elonwy. Mae fy merched yn mynd eu ffordd eu hunain, yn mwynhau eu bywydau yn Llundain, a busnes y wafflo yn mynd o nerth i nerth. Ydw, rwy'n ddyn lwcus iawn.

12

CANU YM
MHEN DRAW'R BYD

Anhygoel! Profiad gwefreiddiol! Cyfnod bythgofiadwy! Unwaith mewn oes! Rhai geiriau i geisio cyfleu'r teimlad o falchder ac anrhydedd o gael gwahoddiad gan Eglwys Gymraeg Melbourne i ganu fel artist gwadd yn y gymanfa, hyn yn dilyn y fraint o gipio'r Rhuban Glas yn yr Eisteddfod Genedlaethol yn 2016.

Yr uchafbwynt, neu un o'r uchafbwyntiau yn sicr, oedd cael cyflwyno a chanu darnau fel 'Craig yr Oesoedd', 'Deep River', 'The Lost Chord' ac 'Aros Mae'r Mynyddau Mawr' i gynulleidfa o 800 o bobl. Fe orffennodd y cyflwyniad ar nodyn uchel pan wnes i ymateb i'r *encore* drwy ganu'r hen gân Gymraeg hyfryd 'Dafydd y Garreg Wen' i gyfeiliant telyn gan y telynor proffesiynol Huw Williams a oedd wedi symud o Sydney i fyw i Melbourne.

Roedd y gymdeithas yn cynnwys grŵp o Gymry a oedd wedi symud i wlad ym mhen draw'r byd, pob un gyda'i hanes unigryw, rhai wedi mynd gyda'u rhieni a rhai wedi mentro eu hunain i chwilio am fywyd gwell. Un peth oedd yn eu clymu nhw at ei gilydd oedd Cymru fach, rhai yn dal i siarad iaith y nefoedd yn rhugl, rhai yn dod o'r de, heb fod yn gallu siarad Cymraeg, ond pawb yn teimlo'n gryfach dros yr hen wlad na'r Cymro gartre.

I fi, fel bachgen o'r Iseldiroedd yn wreiddiol, mae hyn yn ymddangos braidd yn rhyfedd. Mae'n drist gweld y bobol hyn yn mynd yn hŷn, â chymaint o hiraeth am eu mamwlad yn eu calonnau. Efallai eu bod jyst yn digwydd cwrdd ym mis Mawrth er mwyn dathlu Gŵyl Dewi. Fel y gellwch ddychmygu, roedd yn dipyn o sioc iddyn nhw nad Cymro pur oedd wedi cyrraedd, ond bachgen o'r Iseldiroedd. Fe ges i ychydig o groesholi a phrofi a own i'n wirioneddol yn gallu siarad Cymraeg, ond ar ôl dod yn gyfarwydd â'n gilydd, fe gawson ni groeso cynnes iawn gan bawb.

Cyn dechrau'r daith roedd yn hyfryd cael brecwast yn Heathrow gydag Elonwy a'r merched, gan fod Fflur a Kyna'n gweithio yn Llundain wrth gwrs. Ar ôl ffarwelio, roedd rhaid mynd drwy'r llefydd diogelwch ac yna, bois bach, dyna siwrne anghyffyrddus. Roedd fy nghoesau hir yn gwrthryfela yn erbyn cael eu caethiwo am gymaint o amser yng nghanol rhesi ar resi o deithwyr eraill. Wyth awr i Dubai, ac yna roedd rhaid wynebu un deg chwech awr arall cyn cyrraedd Awstralia. Ar ôl dechrau'r daith yn Heathrow, rhyw hanner awr oedd y daith i Baris ond, hyd yn oed ar ôl gweld Awstralia am y tro cynta, o ffenest yr awyren, roedd pedair awr arall o hedfan cyn cyrraedd Melbourne.

Dychmygwch y pellter a maint y wlad, ond fe

wnaethon ni gysgu dipyn o'r ffordd. Meddyliwch ein bod wedi teithio am bedair awr ar hugain, wedi dechrau ar fore dydd Sul ond yn cyrraedd ar nos Lun. Mae amser ym Melbourne un ar ddeg awr ymlaen, yn fore gyda ni ond yn nos gyda nhw. Felly, ar ôl cyrraedd, aethon ni i'r gwely 'to. Doedd effaith y teithio ddim yn rhy ffôl, efallai bod yr adrenalin a chwrdd â'r holl bobol newydd yn ein cadw ni i fynd yn ystod y diwrnodau cynta. Ond ar ôl y profiad hwn, cwch i fi'r tro nesa!

Nid y canu yn unig wnaeth argraff arna i, ond pob math o brofiadau eraill wrth dreulio tair wythnos yn y byd wyneb i waered. Sylwi bod y dŵr yn troelli o'r dde i'r chwith yn erbyn y cloc wrth wacáu'r sinc yn y gegin; a bod yr haul yn dal i symud o'r dwyrain i'r gorllewin, ond yn mynd i gyfeiriad y gogledd ar y ffordd yn hytrach na'r de ar ôl croesi'r cyhydedd. Sylweddoli bod Mawrth y 1af yn ddiwedd haf yn Awstralia ac yn gychwyn y gwanwyn yn ein gwlad fach ni. Cyrraedd pan oedd hi'n amser mynd i'r gwely pan fyddai'r bobol yng Nghymru yn paratoi i godi.

Rhyfedd o fyd! Y tywydd yn dwymach na'n haf ni a'r haul yn tywynnu bob dydd, gyda chip o'r glaw ond am un bore. Dyw'r wlad ddim yn las gan fod y tir yn llosgi. Coed gwahanol, coed gwm ac eucalyptus, gweld y cangarŵ, yr emiw, yr oposwm a'r pengwin. Welson ni ddim o'r coala chwaith, ond profiadau gwych!

Christine oedd enw'r ferch a drefnodd y trip, gwraig o Eglwys Gymraeg Melbourne. Fe gysylltodd hi â fi drwy anfon llythyr i bopty'r waffls. Roedd hi'n teimlo'n siomedig am nad oedd hi wedi clywed gair gan lys yr Eisteddfod am enillydd y Rhuban Glas, ond roedd hi'n gwybod mai boi'r waffls oedd e! O ganlyniad, rown i'n falch fy mod wedi dod â rhai o'r waffls iddyn nhw. Mab i deulu o'r Iseldiroedd oedd Fred, gŵr Christine, a gan fod ei fam yn byw gyda nhw, fe ges i gyfle i siarad Iseldireg gyda hi. Mae'r byd yn fach!

Roedd person arall wedi cael gwahoddiad, Edward Rhys Harry, arweinydd Côr Llundain ond yn wreiddiol o Benclawdd. Roedd yntau wedi cyrraedd o'n blaenau ni. Christine ddaeth i'n cyfarfod yn y maes awyr a doedd dim angen i mi egluro pwy oeddwn i. Roedd y llety a drefnwyd ar ein cyfer yng nghanol y ddinas yn foethus dros ben ac yn cynnwys pob math o gyfleusterau. Er nad wy'n hoff o ddefnyddio systemau tymheru aer roedd rhaid eu diodde oherwydd ei bod mor dwym. Roedd yr un peth yn wir wrth deithio mewn car.

Mor wresog oedd y croeso gan Gymdeithas Gymraeg Melbourne. Roedd y rhan fwya ohonyn nhw'n dod o ogledd Cymru. Y sefyllfa oedd bod rhaid siarad tipyn o Saesneg mewn grwpiau, a Chymraeg gydag unigolion. Y rheswm am hyn oedd bod nifer o grwpiau gydag un partner di-Gymraeg. Serch hynny roedd y teimlad o gymdeithas yn eithriadol o gryf a naws arbennig yn perthyn iddi. Roedd y Cymry hyn yn ymwybodol iawn o'u cefndir a hanes Cymru, rhai wedi symud yn blant neu oedolion ifanc ac erbyn hyn yn eu hwythdegau. Gwahanol bobol mewn gwirionedd, ond eto yn rhannu'r un cefndir, a'r cefndir hwnnw'n creu cwlwm neu rwymyn tyn rhyngddyn nhw. Roedd y naws ymlaciedig a chymdeithasol Gymreig mor gryf fel bod pob math o bobol ddieithr yn cael eu tynnu i mewn i'r eglwys. Erbyn hyn mae rhai Philipiniaid yn aelodau o'r Eglwys Gymraeg ac yn mwynhau'r naws arbennig sydd yno.

Ar ôl cyrraedd fe gawson ni ein cyflwyno i'r amserlen ar ein cyfer yn ystod y daith. Roedd pawb yn cystadlu am ein sylw, pawb yn ymladd am gael siâr ohonon ni'n dau. Hyn o ganol y bore hyd ddiwedd y nos. Fe gawson ni amser bant i gwrdd â theulu Elonwy a oedd yn byw ym Melbourne fel mae'n digwydd. Fe gawson ni groeso gwych ganddyn nhw mewn fflat uchel uwchben y môr ar ddiwedd lein y tram lle byddai'r llongau mawr yn arfer cludo'r drwgweithredwyr druain i Awstralia. Heddiw, mae fferi i Tasmania yn gadael ac yn cyrraedd y fan hon, ac roedd yn hyfryd gweld y cychod mawr yn mynd a dod ar draws y môr.

Ar y dydd Mercher fe gawson ni daith yng nghwmni Fred a Christine o amgylch bae Melbourne. Aethon ni i Cape Schanck, gyda golygfa hyfryd dros y bae. Fe welon ni aderyn prydferth, y kookaburra, ac roedd Elonwy yn gwybod rhyw benillion amdano. Mae natur yr ochor draw i'r byd yn ardderchog, yn rhy dwym i fi i fyw yno, ond yn hyfryd i'w weld a'i brofi.

Yn y nos, aethon ni i dafarn lle'r oedd Côr Meibion Cymraeg Awstralia yn cyfarfod. Gwledd o fwyd yn y dafarn gyda chwmni yn y stafell lofft yn mwynhau canu. Roedd y lle yn orlawn. Noson ysgafn, anffurfiol, gyda digon o hwyl. Pan sylweddolon nhw fy mod i yno, roedd rhaid i fi ganu wrth gwrs. Y gân oedd 'Oes Gafr Eto?' gyda phawb yn ymuno yn y gytgan. Y canu ar ei orau a llawer o sbri.

Ar y prynhawn Sadwrn fe gawson ni de uchel ael gyda Chymdeithas y Cambrian yng nghwmni rhyw chwe deg o aelodau, gyda deuddeg bwrdd wedi eu neilltuo ar ein cyfer. Yn eu mysg roedd Gwyn Davies, rheolwr Barclays o Landudno yn wreiddiol, yn byw yn Seland Newydd ond yn teithio bob blwyddyn i ddathlu Dydd Gŵyl Dewi ym Melbourne.

Profiad diddorol oedd cyfarfod â gwraig o Bontypridd oedd wedi priodi dyn o orllewin Lloegr. Trin gwallt oedd ei gwaith hi ar y dechrau ond fe benderfynodd y ddau agor siop hanner ffordd lan y mynydd yn Tasmania, siop yn gwerthu cofroddion. Wedi prynu'r busnes ar sbec am 5,000 o ddoleri Awstralia, fe gynyddodd y busnes ac o ganlyniad yn gorfod archebu mwy a mwy o stoc. Fe deimles i wefr go iawn wrth sylweddoli mor debyg oedd eu stori nhw i'n stori ni. Yr un profiad yn gwmws. Dau estron yn sefydlu busnes mewn gwlad dramor. Dau o Brydain yn Tasmania a ninne'n ddau Iseldirwr yn cychwyn menter yng Nghymru. Fe greodd hyn rwymyn cyfeillgarwch rhyngom yn syth. Erbyn y Sadwrn roen ni wedi cael cyfle i gwrdd â llawer iawn o bobol.

Fe gawson ni de yn ystod y dathlu. Yno, siaradodd Edward Harry am chwarter awr am fywyd Penclawdd, hanes y Sul a'r capel ac am y pentre bach lle cafodd

Karl Jenkins, perthynas iddo, a nifer o enwogion fel Rob Nicholls, eu geni. Roedd ei ddisgrifiad yn taro tant yng nghalonnau'r Cymry'n syth. Dyna'r math o fywyd roedd y bobol yn hiraethu amdano a'r hiraeth yn creu naws arbennig ar ddechrau'r gymanfa. Fe wnes i sôn ychydig am fy nghefndir a'r profiadau rown i wedi eu cael. Fe gyflwynes i ganeuon fel 'Y Dymestl', 'My Little Welsh Home' a'r 'Zuider Zee' (cân werin Iseldireg).

Ar y dydd Sul cynhaliwyd y gymanfa mewn eglwys fawr. Roedd cwrdd yn y bore mewn eglwys Gymraeg ar stryd La Trobe. Mae gan yr eglwys hon dri gweinidog, yn cynnwys un Cymro. Jim oedd un o'r lleill, dyn o Awstralia heb unrhyw gysylltiad gyda Chymru. Serch hynny roedd yn foi academaidd gyda diddordeb mawr yn hanes y Cristnogion Celtaidd. Roedd hyd yn oed wedi clywed am Christmas Evans, pregethwr enwog o'r un pentre â fi. Aethon ni mas gydag e a chael amser da. Roedd ganddo wir ddiddordeb, os nad obsesiwn, mewn cychod rhwyfo. Mewn sied yn perthyn i'r eglwys roedd yn cadw cwch a oedd ar gael ar gyfer unrhyw un llai ffodus a oedd yn ffansïo cael trip mewn cwch ar y dŵr.

Roedd yr eglwys hon yn debyg i'r eglwysi eraill yn y ffaith bod ei haelodau yn mynd yn hŷn, a'r bobol ifanc heb unrhyw ddiddordeb, ond eto'n ffurfio cymdeithas glòs a chyfeillgar ac yn ymwybodol iawn o'u gwreiddiau. Hefyd, roedd yr eglwys yn cyflogi gweinidog a oedd yn ymestyn allan i'r bobol. Dyn mawr, gyda barf fawr a beic modur. Ei gyfrifoldeb ef oedd edrych ar ôl y bobol ddigartre yn ninas Melbourne. Welon ni ddim llawer o dlodi ond pan mae tair miliwn o bobol yn byw mor agos at ei gilydd, mae'n anorfod bod rhai yn syrthio drwy'r rhwyd. Yn fy marn i, roedd yn ddigon teg bod yr eglwys yn ceisio gwneud rhywbeth ynglŷn â'r sefyllfa.

Yn y prynhawn roedd y gymanfa mewn eglwys mwy o faint, sef St Michael's. Roedd pedwar neu bump côr yn y gynulleidfa. Roedd y corau i gyd yn y llofft. Diddorol oedd y ffaith eu bod yn canu emynau Cymraeg gyda dau bennill yn Saesneg ac un yn Gymraeg. Fe gafodd Edward gyfle i ymarfer gyda'r corau a oedd wedi gwneud ymdrech i ddysgu dau ddarn Cymraeg er gwaetha'r ffaith mai dim ond tua dwsin o Gymry Cymraeg oedd yn y corau i gyd. Fe wnaeth yr Awstraliaid, o ble bynnag roen nhw'n dod, ymdrech eithriadol i ddysgu'r darnau. Roedd yn bleser gweld mor galed roedd Edward yn gweithio gyda nhw. Sylwes ei fod yn colli llawer o chwys ond roedd yn werth yr holl ymdrech.

Yn y perfformiad, roedd yr eglwys yn orlawn, gydag wyth cant o bobol. Roedd y cyflwyniadau i bob emyn gan Edward a'r gweinidogion yn cynnwys llawer o wybodaeth a theimlad. Elonwy oedd yn cyfeilio i fi ar y piano ac rown i'n cael fy nghyflwyno fel yr Artist Gwadd. Fe gyflwynes i 'Craig yr Oesoedd', 'Deep River', 'The Lost Chord' ac 'Aros Mae'r Mynyddau Mawr'. Ces i gyfle i egluro cefndir y caneuon cyn eu cyflwyno i'r gynulleidfa. Fel y sonies i ar y dechrau, yr uchafbwynt oedd canu 'Dafydd y Garreg Wen' i gyfeiliant telyn ar ôl cael *encore*. Er bod y gymanfa yn para am ddwy awr a hanner, roedd yr amser yn hedfan, ac i Elonwy a finne roedd yn brofiad bythgofiadwy.

Dydd Gŵyl Dewi oedd uchafbwynt y daith. Am un ar ddeg o'r gloch roedd seremoni codi baner y Ddraig Goch. Edward wnaeth yr orchwyl hon, a finne'n canu 'Unwaith eto yng Nghymru annwyl'. Lle hyfryd oedd yr Eglwys Gymraeg gyda theimlad o agosatrwydd. Fe wnaethon ni gyflwyno llyfr o Gymru a chopi o lyfr Côr Cwmann.

Yr Enfys yw cylchgrawn cymdeithas Cymru a'r Byd, a Rhys Meirion yw'r llywydd. Dyw'r Cymry gartre ddim yn sylweddoli mor wlatgarol yw'r gynulleidfa sydd yma ym mhen draw'r byd a bod gwir angen rhywun o'r hen wlad i edrych ar eu hôl nhw. Rwy'n gweld hyn fel sialens i lys yr Eisteddfod gan fod 4,000 o Gymry wedi symud i Melbourne. Mae 80,000 yn ymwybodol o'u tras Cymreig ac yn cyfri o ble maen nhw'n dod yn bwysig iawn. Mae Elonwy a finne'n eithriadol o ddiolchgar iddyn nhw am y croeso bendigedig a gawson ni am dair wythnos yn eu plith, profiad y byddwn yn ei drysori am byth.

13

MAE GEN I FREUDDWYD

Oes, mae 'da fi freuddwyd. Rwy'n gweld hen foi eitha bodlon yn eistedd ar ei fainc tu fas i'r tŷ, mainc o waith y brodyr Thomas, y seiri coed drws nesa, a fydd yn fy atgoffa o'r hen amser da. Tipyn bach yn hŷn, ond yn dal i gofio a theimlo'r cynnwrf a'r cyffro wrth weld fan y waffls yn hedfan heibio bob rhyw bythefnos. Yr un teimlad ag a gafodd Beryl Arosfa, Tregroes, yn byw yng Nghaerdydd, pan welodd hi'r fan gydag enw Tregroes Waffles arni ar un o strydoedd y ddinas. Roedd ei chalon hithau yn dal yn ôl yn nyffryn Cerdin.

Mae'r cwmni Tregroes Waffles yn cael archwiliad manwl unwaith y flwyddyn gan B.R.S. (Consortiwm Manwerthu Prydeinig). Fe fydd eu harolygwyr yn dod am ddau ddiwrnod bob blwyddyn i sicrhau bod popeth yn iawn. Maen nhw'n delio â ffatrïoedd dros y byd i gyd ac wedi gweld pob math o arferion da a drwg. Rwy'n hoff iawn o gael sgwrs gyda nhw er mwyn darganfod sut maen nhw'n gweld ein busnes ni o'i gymharu gyda chwmnïau eraill dros y byd.

Wrth redeg eich busnes eich hunan, mae'n bosib i chi fyw mewn ynys fach a cholli'r llun ehangach. Bob tro y bydd cyfle i ddysgu rhywbeth gan berson sydd â mwy o brofiad o'r byd mawr, mae'n bwysig

135

eich bod yn manteisio ar y cyfle i gael cyngor gan yr arbenigwr.

Fe adroddon nhw stori ddiddorol iawn am eu hymweliad â ffatri tomatos tun yn yr Eidal, ffatri a fyddai'n cynhyrchu am dri mis y flwyddyn pan fyddai'r tomatos yn aeddfed. Roedd y ffatri ei hunan yn ddilychwin yn eu barn nhw, pawb mewn cotiau gwynion a rhwydi gwallt heb frycheuyn. Popeth yn lân, popeth yn berffaith. Ond cyn gynted ag y deuai rhyw broblem ar eu traws fe fydden nhw'n gweiddi, "Papa, papa!" Hwn oedd yr hen foi mewn oferôls brwnt yn glanhau'r maes parcio, yn gweithio ar y cyrion, ond yn dal i helpu mewn argyfwng.

Dyna'r union fath o rôl yr hoffwn i ei chael yn y dyfodol, yn mwynhau cadw cysylltiad ac yn hoffi credu y byddai'r gweithwyr yn gallu troi ata i am gyngor yn awr ac yn y man, gan weiddi, "Papa, papa!" am gymorth hawdd ei gael mewn cyfyngder.

Mae dyfodol i'w gael o hyd, er bod rhaid cyfadde fy mod yn raddol, yn ara bach, yn mynd yn hŷn fel pawb arall wrth gwrs. Erbyn hyn mae'r cwmni waffls yn mynd yn ei flaen bron yn otomatig. Serch hynny mae'n rhaid i mi wynebu'r cam nesa o safbwynt y busnes. Mae'r broblem o drosglwyddo'r cyfrifoldeb o un genhedlaeth i'r llall yn gallu bod yn syml pan yw'n amlwg ac yn glir pwy yw'r person nesa sydd am ysgwyddo'r baich, ond ambell waith yn hollol fel arall. Mae'r un broblem yn wynebu ffermwyr a busnesau eraill yn yr ardal.

Rwy wedi sylwi bod cwmnïau bach a mawr yn aml

yn colli cymaint ar ôl gwerthu'r busnes i gwmnïau newydd. Colli hunaniaeth, ysbryd ac anian yr hen gwmni. Enghraifft o hyn yw cwmni sy'n gwerthu iogwrt yn Aberystwyth. Bellach mae pencadlys y cwmni yn Surrey. Colli ffordd wnaeth y cwmni ceginau ym Mhentrecwrt hefyd. Enghraifft arall yw cwmni bwydydd o Dowyn, yn canolbwyntio ar fariau melys. Cymaint oedd siom y perchennog ar ôl gwerthu i gwmni mawr fel y penderfynodd, ymhen tipyn, brynu'r cwmni yn ôl.

Mae rhedeg unrhyw gwmni yn bleser pan mae pethau'n mynd yn hwylus. Cyfle i ymlacio a'ch traed ar y ddesg. Ond pan mae unrhyw beth yn mynd o'i le, chi sydd â'r cyfrifoldeb ac wrth gwrs y dasg o ddatrys y broblem a bod yn atebol am unrhyw wendid yn y system.

Yn fy achos i rown i wedi addo i fi fy hun y byddwn i'n trosglwyddo'r cyfrifoldeb o redeg y cwmni pan fyddai Kyna, y ferch ifanca, yn bump ar hugain oed. Efallai ei fod yn gamgymeriad wrth edrych yn ôl. A fyddwn i'n gosod gormod o straen a phwysau ar ysgwyddau ifanc y ddwy ferch? Yn sicr fyddwn i ddim am i'r cyfrifoldeb fod yn gur pen iddyn nhw. Mae'r ddwy yn dangos diddordeb, ond erbyn hyn yn mwynhau bywyd y ddinas fawr yn Llundain. Serch hynny mae'r ddwy yn teimlo rhyw ddyletswydd i ddychwelyd ymhen amser. Fy nheimlad i yw na ddylai'r cwmni teuluol fod yn faich ar ysgwyddau'r genhedlaeth nesa. Pe baen nhw am gymeryd cyfrifoldeb am redeg y cwmni waffls, fe fyddwn yn eu cefnogi ac yn dymuno pob llwyddiant iddyn nhw. Ar y llaw arall, pe baen nhw'n poeni am y pwysau ac yn dewis mynd i gyfeiriad gwahanol, fe fyddwn yn sicr am iddyn nhw fynd yn ôl eu greddf a dilyn eu llwybrau eu hunain.

Dair neu bedair blynedd yn ôl fe es i gynhadledd busnes yn Abertawe lle y gwnes i gyfarfod â gŵr o Fachynlleth, cyfarwyddwr cwmni Aber Instruments. Soniodd bod y bois yn datblygu peiriant i fesur bragu ar gyfer bragwyr masnachol, gan werthu eu cynnyrch i gwmnïau fel Heineken a Brains dros y byd. Busnes llwyddiannus iawn yn amlwg. Soniodd am y camau yn y broses o drosglwyddo'r busnes i'r gweithwyr neu'r cyflogedig. Roedd hon yn stori ddiddorol iawn ac fe'm hysbrydolodd i wneud rhywbeth tebyg.

O ganlyniad, yn ystod 2016, fe wnes i greu Ymddiriedolaeth Tregroes Waffles a fyddai'n berchen siâr yn y busnes, ynghyd â rhai o'r gweithwyr. Mae tri ohonon ni'n gyfarwyddwyr – un o'r gweithwyr, aelod o'r teulu, ac un o'r tu fas i'r cwmni, i wneud yn siŵr ein bod ni'n gallu symud ymlaen pe bai'r gweithwyr a'r teulu yn ffaelu cytuno.

Fe fyddai'r Ymddiriedolaeth yn berchen y siâr ar ran y gweithwyr ac yn fy nhalu i mas fel perchennog. Fe fyddwn ni'n gwerthu 10% bob blwyddyn, sy'n rhoi pum mlynedd eto i'r merched wneud penderfyniad. Yn ogystal, mae'n sicrhau diddordeb y tîm, fel bod y teulu a'r gweithwyr yn medru cydweithio i greu dyfodol llwyddiannus i'r cwmni, heb orfod poeni am berchennog dieithr o'r tu fas.

Yn y cyfamser bydd hawl gan y merched i atal gwerthu'r cyfrandaliadau hefyd. Drwy wneud hyn rwy'n gobeithio y bydd dyfodol Tregroes Waffles yn fwy sicr a llwyddiannus a bod y cwmni'n gallu aros yn ein hardal ni, yn creu cyflogaeth a hwyl yn y dyfodol, heb yr angen am fy nghyfraniad i.

Hoffwn pe bai'r gweithwyr eu hunain yn tyfu gyda'r cwmni, a bod y cynnyrch yn dal yn llwyddiant. Mae'n bwysig hefyd bod y merched yn cael cyfle i ddychwelyd ymhen pum mlynedd pe baen nhw'n dewis. Tipyn o boendod oedd trefnu'r holl system, ond rwy'n gobeithio y bydd yn profi yn benderfyniad doeth yn nes ymlaen ac y bydd yn amddiffyn diddordebau'r gweithwyr sydd wedi buddsoddi llawer o waith ac ymdrech er mwyn sicrhau llwyddiant y cwmni.

Ar ôl hyn, os bydd y cwmni'n dal yn llwyddiannus, bydd y gweithwyr yn cael eu bonws bob Nadolig fel arfer, ond yn y dyfodol fe fyddan nhw'n cael ychydig o ddifidend yn ogystal. Bwrdd yr Ymddiriedolaeth fydd yn penderfynu a oes angen buddsoddi arian yn y busnes yn ogystal ag edrych ar ôl lles y gweithwyr, ac fe fydd yn bosib talu rhan o'r elw iddyn nhw hefyd.

Ym mhentre Tregroes, yr ysgol fach oedd canolfan y gymuned, y man lle'r oedd pobol yn cyfarfod. Cymaint o fywyd, cymaint o fwrlwm. Cyfnod cyfoethog iawn, ac roedd cau'r ysgol yn teimlo fel pe bai'r galon wedi cael ei thynnu mas o'r corff. Anodd iawn oedd gwybod sut i ddelio â'r sefyllfa. Ar y pryd roedd yr Awdurdod Addysg yn barod i addo y byddai'r ysgol yn cael ei defnyddio er lles y gymuned. O ganlyniad fe sefydlwyd pwyllgor i hyrwyddo'r defnydd o'r adeilad a chronfa ar gyfer ei brynu ar gyfer y gymuned. Fe gawson ni lawer iawn o gefnogaeth gan bobol yr ardal. Mae'r Saeson sydd wedi symud i'r dyffryn wedi dangos llawer o barch i'n diwylliant ac wedi gwneud ymdrech arbennig i ddysgu'r iaith.

Mae'r adeilad yn hollbwysig i gadw'r gymdeithas yn fyw. Wrth edrych yn ôl fe allwn ymfalchïo yn y gweithgareddau amrywiol a diddorol sydd wedi eu cynnal yno. Stori o lwyddiant hefyd yw'r holl arian sydd wedi ei gasglu ar gyfer prynu'r hen ysgol. Mae'r dyfodol yn edrych yn addawol gan ei bod yn ymddangos yn bosib ein bod wedi dod i gytundeb gyda'r Awdurdod er mwyn ei chael yn ôl i feddiant y gymuned.

Er bod sŵn y plant wedi distewi o fewn ei muriau, gobeithio y bydd yn datblygu'n ganolfan i'r pentre a'r dyffryn unwaith 'to. Rwy'n ymfalchïo bod hyn ar fin digwydd. Heb ganolfan i gwrdd, mae'r pentre'n mynd i newid i fod yn gasgliad o dai yn unig, a'r bobol heb gael cyfle i adnabod ei gilydd yn iawn. O ganlyniad, bydd y gymdeithas yn llawer tlotach.

O safbwynt y canu rwy'n teimlo rhyw ansicrwydd gan fy mod i wrth fy modd yn perfformio, ond wedi ennill y Rhuban Glas, rwy'n teimlo'n amheus a ddylwn i barhau i gystadlu neu beidio. Wrth gystadlu, eich penderfyniad chi yw mynd i berfformio. O hyn ymlaen, rwy'n gorfod dibynnu ar bobol i fy ngwahodd i ganu mewn cyngherddau. Fe fydd ambell gyfnod yn brysur iawn, a chyfnod arall heb ddim byd yn digwydd.

Dyma yw fy hobi gan fy mod yn mwynhau canu a pherfformio. Wrth gwrs, fe fydda i'n dal i gymryd rhan ond mae pob canwr, wrth fynd yn hŷn, yn diflannu yn raddol i'r cefndir. Dyna beth yw bywyd.

Mae Côr Cwmann yn mynd o nerth i nerth ac ar hyn o bryd ry'n ni'n brysur iawn gyda llawer o syniadau newydd. Yr hyn sy'n braf yw bod cymaint o aelodau yn dal i ddod, er eu bod yn mynd yn hŷn, ac yn cael hwyl wrth gyfarfod a chymdeithasu. Mae cwmni da wastad yn bwysig yn fy marn i, ac wrth gwrs, mae canu mewn côr yn llai o bwysau, a gallwn ni ddal i ganu am byth.

Wn i ddim i ba gyfeiriad y bydd y ddwy ferch am fynd yn y dyfodol ond fe fydda i'n ceisio eu cefnogi gymaint ag sy'n bosibl. Mae Elonwy a finne'n dal i chwarae rhan yn y gymuned yn ein ffordd ein hunain a gobeithio y cawn iechyd am amser hir i wneud hynny. Efallai y dylwn i ddod o hyd i ddiddordebau eraill pan fo cyfrifoldeb y waffls yn lleihau. Tyfu llysiau o bosib.

Mae'n bwysig o hyd, yn fy marn i, eich bod yn ceisio derbyn unrhyw beth y mae bywyd yn ei daflu atoch heb gwyno na grwgnach, gan gofio hoff gân Willie George, fy hyfforddwr cynta, 'Ich Grolle Nicht' neu mewn Cymraeg ffurfiol, 'Ni Ffromaf Ddim'. Yn y cyfamser, mae hawl 'da'r fuwch, y ddafad neu'r 'Dutchman o Dregroes' barhau i freuddwydio.

Y bennod ola! Ond gwrandewch, mae'r llyfr yma wedi cael ei ysgrifennu yn rhy gynnar. Cofiwch bod digon o fywyd ar ôl yn yr hen ddyn. Bois bach, y dyddiau hyn, dyw bywyd ddim ond yn dechrau wrth i chi gyrraedd 60 oed. Duw a ŵyr beth sydd o'n blaenau ni. Roedd fy mam yn arfer dweud, "Ledere dag, een klein feestje." ("Mwynhewch y presennol. Parti bach bob dydd. Peidiwch â mynd dros ben llestri, ond cofiwch fwynhau.")

Am restr gyflawn o lyfrau'r Lolfa, mynnwch
gopi am ddim o'n catalog
neu hwyliwch i mewn i'n gwefan

www.ylolfa.com

lle gallwch archebu llyfrau ar-lein.

TALYBONT CEREDIGION CYMRU SY24 5HE
ebost ylolfa@ylolfa.com
gwefan www.ylolfa.com
ffôn 01970 832 304
ffacs 832 782